史上最高の
教育法

脳科学と行動心理学に基づく
5000年の叡知

著者：三宮知子/早水丈治/水野美穂/和田政子

英智舎

If you can change your mindset,
you can change your world.

考え方を変えれば、
あなたの世界を変えることができます。

Ryu Julius

まえがき

私たち著者４人は、たった一度きりの人生を誰もが幸せに送れることを願って本書を書きました。

「幸せ」とは感情ではありません。幸せというのは「概念」なのです。ですから幸せとは、その意味付けを自分でしていくものなのです。

あなたが幸せを意味付けるなかで、避けてほしいのは「条件付き幸せ」です。

例えば、「マイホームが手に入ったら幸せ」「子どもがどこどこの大学に受かったら幸せ」などというように、「〇〇だったら幸せ」と、幸せを条件付きで意味付けてしまうと、逆に「〇〇でなければ不幸せ」ということになってしまうからです。

私たちは概念の意味付けを練習していくことで、どんな時にでも幸せを意味付けできる自分になっていきます。では、「どんな時にでも幸せを意味付けできる人」とは、どんな人たちなのでしょうか。

本書でご紹介する、アスター学習法から始まる11の原理原則を習慣として習得していった人は、「幸せを意味付けする力」が格段に上がっています。

ですからぜひ、ご自身の人生を幸せに生きるために、読者のあなたも本書に書かれているユダヤ家族の習慣を身に付けてみてください。「幸せ」という概念を意味付ける力がぐんと上がることでしょう。

「ユダヤ成功の11原則」の11原則とは、次の通りです。

①アスター学習法、②現状感謝、③習慣の大切さ、④自律思考、⑤質問力、⑥交渉術、⑦絶対的ポジション、⑧アウトスタンディング、⑨人生はバラエティ、⑩マネーブロック、⑪積極性です。

11原則の学びでは、アスター学習法（学び方の学び）に続いて最初に「現状感謝」について伝えています。

世の中には一見すると、誰がどう見ても幸せそうな人がいます。お金も時間も健康もあって、羨ましがられる人もいます。しかし、本人が幸せだと思っているかというと、そうとは限らないのです。

お金があっても時間があっても、「〇〇であれば幸せ」というように幸せを意味付けている限り、心豊かな幸せは手に入りにくいものです。だからこそ、幸せという概念の正しい意味付けが必要なのです。

本書には、あなたが幸せに生きるための先人の知恵が詰まっています。

願わくば、本書があなたのバイブルとなったならば、著者として望外の喜びです。

さあ、次のページから、あなたの人生を劇的に変えるトビラが開きますよ。

ユダヤ式自己紹介とは？

想像してください。

今、あなたは、あるパーティ会場にいます。会場には来場者が1000人。みなさん、思い思いに名刺を交換し、自己紹介を始めました。さて、みなさんは、この1000人の会場で、「1000人に覚えてもらえる自己紹介」ができますか？

どんなに個性の強い方でも、あるいは、プレゼンテーションが上手な方でも、1000人全員に覚えてもらう自己紹介をする自信はないかもしれません。

でも、これからご紹介する「ユダヤ式自己紹介」なら、1000人いたら1000人に覚えてもらうことができます。早速、そのやり方をご紹介しましょう。

あっ、でもその前に、まずは一般的な挨拶を覗き見してみましょうか。ちょうど目の前に、グレーのスーツを着た、いかにも影の薄そうな男性がやってきましたよ。

一般的な挨拶

「はじめまして、○本○郎と申します。仕事は○○株式会社で△△をしています。弊社の主力製品は××で、□□が特徴です。B社と比べて●●が優れています……」

いかがでしょうか？　5分後に、あなたは○本○郎さんのお名前を覚えていられますか？　ほとんどの方はNOではないでしょうか。

なぜでしょうか？　それは、私たちの脳は、「自分が見たいものしか見ないし、自分の興味のあることしか記憶しない」ようにできているからです。この方の挨拶では、「相手が見たいもの」が見せられていません。つまり、聴く側の視点がまったく欠けているのですね。人間の脳というものは、自分にメリットがありそうかそうでないかを瞬時に見分け、有用だと思ったことだけを記憶する働きがあります。本書でみなさんにお伝えする「ユダヤの教え」とは、こうした脳科学と行動心理学に基づいた教えになります。

また、本書では、後述する我らが師匠、Ryu Julius（以下ジュリアス師匠）の教えに基づく、ユダヤ人家族に代々伝わる家庭の教えをご紹介します。

では、どんな挨拶をすれば、1000人のうち1000人が記憶する自己紹介になるのでしょうか？

ユダヤ式自己紹介

①名前とニックネーム

和田政子（わだまさこ）です。あだ名は「マサ」。「マサちゃん」と呼んでください。

②職業

仕事は茶道の先生と、着付けの先生です。25年前にフランスに渡り、パリのルイ・ヴィトンを始めとする、さまざまな場所で日本文化をフランス人にお伝えしてきました。

③相手に提供できるもの

私があなたに提供できることは、2つあります。1つは、表千家の茶道の作法と、その根底に流れる精神性をお伝えすることです。もう1つは、誰でもたった一日で、一人で着物を着られるようになる方法をお伝えすることです。

フランス人だけでなく、まず日本人に、自国の文化の素晴らしさをお伝えすることの必要性を感じまして、日本伝統文化国際交流協会を発足し、現在は日本伝統文化の素晴らしさを日本人のみなさんへお伝えしています。

茶道、着付けといえばマサちゃん。日本文化といえばマサちゃんです。

では、①~③について解説します。

①名前とニックネーム

初対面の方にフルネームをいきなり覚えてもらおうとするのは、ハードルがいささか高いものです。普段の会話のなかで、フルネームで会話することは少ないですよね。だったら最初から、覚えてもらいたいニックネームを相手に伝えてあげたほうが親切ではないでしょうか。時々「好きなように呼んでください」という人がいますが、初対面の相手に「好きに呼び方を決めて良いですよ」と言われても、「よし、○○と呼ぼう!」とはなりませんよね。ですから呼び方は相手任せにせず、あなたが決めるのです。

②職業

職業の紹介は簡潔に終わらせます。初めて会った相手が、あなたの職業に興味を持っているとは限りません。相手に興味関心があることを前提で話し始めてはダメです。

繰り返しになりますが、人間とは「自分が見たいものしか見ないし、自分の興味のあることしか記憶しない」生き物です。ですから、自己紹介では①～②（名前とニックネーム～職業）をできるだけ簡潔に終え、いち早く③（相手に提供できるもの）に話題を移し、そこに時間をかけられるようにすることがカギになります。間違っても、相手がこちらに興味を寄せていない状態で会社でのポジションや商品説明を語ってはいけません。相手は話半分、右から左だからです。

③相手に提供できるもの

自分と関わることで得られる相手のメリットをお伝えします。「1つは～」「2つは～」というように端的にまとめてメリットを伝えましょう。そのメリットが明確であればあるほど、相手の方の脳は「この人と関わると自分にとっていいことがありそうだな」と感じ、この出会いが大切なものだと認識します。だから記憶に残るのです。初対面の方との対話では、あなたが投げた「相手に提供できるもの」といういくつかのボールに対し、相手が興味を示してきたら、その点に関してだけ話を広げればいいのです。

例えば、③の話に対して、「へぇ、一回のレッスンで着物が着れちゃうんですか？」と言われたなら、「着物教室は長く通ってもらいたいから簡単なことをむずかしく教えているんです。昔は誰でも毎日着物を着ていたのですから、本来そんなにむずかしいはずがありませんよね。だから私のお教室では一回のレッスン完結で、誰でも着物が着られるようになるんです」というように、相手の興味があるポイントだけを深掘りして返答するのです。

ところで、「私があなたに提供できることは……」について、こうしたことを初対面でダイレクトに伝えるのはちょっと……、と思われた方もいらっしゃるのではないでしょうか。たしかに、これらは日本の文化にはあまりない自己紹介かもしれません。でも、だからみなさんは1000人に1人ではなく、翌日になって、名刺を見た相手の方から「これ誰だっけ？」と思われてしまう「残りの999人」になってしまうのです。

ユダヤ民族の文化には、日本人的な察する文化や「ツーといえばカー」というような文化はありません。もちろん日本人的な文化も大切ですが、「目的に対し、ほしい結果を得るために常に最良の行動をする」というユダヤの教えを身に付けておくことによって、人生は大きく変わるはずです。

本書の著者は、このユダヤの教えに出会い、その教えをつかみ取り、実際に人生を変えた4人です。

実は著者のうちの1人は右記の「マサちゃん」でした。せっかくですので、残りの3人についても「ユダヤ式自己紹介」でご紹介しましょう。

ピンクたん　三宮知子プロフィール

ピンク大好き、三宮知子です。ぜひ「ピンクたん」と呼んでください。

私はこれまでギターボーカルとして、20年間ライブハウスやCafe & Barで歌い続けてきました。今は惣菜屋で働きながら4歳の娘の子育てをしております。世の中を良くするには教育が必要だという信念のもと、何百時間もかけ、自ら学んだ成果により、今では身近な方の悩みに寄り添い、解決のお手伝いができるようになりました。

私は、①世界で唯一無二、あなただけの曲を作成、②ホームパーティで今すぐ使える「お寿司の握り方」「巻き寿司の巻き方」の指導、③私が学んだユダヤの教えを活かし、子育ての悩みに寄り添い、解決に導くことで、あなたのお役に立つことができます。

私自身、子どもを持つ母親として、特に子育てにおける教育に強い思いを持っています。

一人で悩まず、ぜひピンクたんにご相談ください。

ジョージ　早水丈治プロフィール

早水丈治(はやみずじょうじ)と申します。「ジョージ」と呼んでください。

僕の仕事は3つあります。

1つ目は、訪問はりきゅうマッサージ、2つ目は福祉事業である児童発達支援・放課後等デイサービス、3つ目は講演会やイベントの企画運営です。

僕は①ご自宅に伺いマッサージやはりきゅうを行って痛みや痺れを改善する、②障害のある子どもの手助けや福祉事業を始めたい方へのアドバイス、③鹿児島で講演会・イベントを主催する際の集客や宣伝で、あなたのお役に立つことができます。

はりきゅうマッサージといえばジョージ、福祉事業といえばジョージ、鹿児島で講演会・イベントといえばジョージです。

ミホリン　水野美穂プロフィール

ニックネームはミホリンです。みなさん、「ミホリン」と呼んでください。

私は、世界中の感動をあなたにお届けする「感動クリエイティスト」です。世界にあふれる素敵なもの、美味しいもの、美しい景色、素晴らしい人との出会いを通じて喜びを与える、あなたの人生を彩る感動のクリエイターです。

また、カクテルアドバイザーという資格を活かし、パーティやイベント会場で振る舞う、カクテルの魅力を伝える伝道師でもあります。

パーティの華となる食材を華やかに盛り付けるのはもちろん、私が考案した「大人のパフェ」（リキュールなどを使った果物のパフェ）のライブ創作で心躍る演出をご提供します。

誕生日、結婚式、企業の記念日など、あなたの人生の節目である記念日を感動的な祝宴で彩りたいと思ったら、ぜひ、私、ミホリンを思い出してください。

人生最高の体験をあなたにご提供いたします。

私たち4人のユダヤ式自己紹介は、いかがでしたか？

ユダヤ式自己紹介を実践することで、周りからのあなたへの印象は、大きく、大きく変わります。あなたを覚えてくれる方が増え、困った時にあなたのことを思い出す方が増え、連絡をいただけるようになります。それを可能にするのがユダヤ式自己紹介です。

あなたは、今までの自己紹介を続けますか？　それともユダヤ式自己紹介を実践しますか？

目次

第1章

原理原則を制する人が人生を制する

ユダヤ人は世界でたったの0・2%

ミホリン

あなたはユダヤ人と聞いて、何を思い浮かべますか？　「成功者」「お金持ち」……。もしくは、「ヒトラーによる迫害を受けた民族」や「もじゃもじゃのヒゲ」を思い浮かべる方もいるかもしれません。

もしくは著名なユダヤ人として、イエス・キリストを連想される方もいるかもしれません ね。キリストもユダヤ人ですし、十二の弟子ももちろんユダヤ人です。

では、質問を変えます。あなたにはユダヤ人の知り合いがいますか？　もしくは、今まで生きてきたなかで、ユダヤ人に出会ったことはありますか？　身近にいるという人は少ないのではないでしょうか。

実は、ユダヤ民族とは、世界人口のたった0・2%しかいない少数民族です。世界の人口約80億人のうちの約1400万人。これがどのくらい少ないかというと、ほぼ東京都民の人口と同じです。地球上のすべてのユダヤ人を集めてもそのくらいしかいない少

図1-1　世界長者番付

順位	名前	関連	国	年齢	資産額（10億$）	資産額（兆円）
1	イーロン・マスク	テスラ	アメリカ	50	219.0	26.94
2	ジェフ・ベゾス	アマゾン	アメリカ	58	171.0	21.03
3	ベルナール・アルノー	LVMH	フランス	73	158.0	19.43
4	ユダヤ人／ビル・ゲイツ	マイクロソフト	アメリカ	66	129.0	15.87
5	ウォーレン・バフェット	バークシャー・ハサウェイ	アメリカ	91	118.0	14.51
6	ユダヤ人／ラリー・ペイジ	グーグル	アメリカ	49	111.0	13.65
7	ユダヤ人／セルゲイ・ブリン	グーグル	アメリカ	48	107.0	13.16
8	ユダヤ人／ラリー・エリソン	オラクル	アメリカ	77	106.0	13.04
9	ユダヤ人／スティーブ・バルマー	マイクロソフト	アメリカ	66	91.4	11.24
10	ムケシュ・アンバニ	リライアンス・インダストリーズ	インド	64	90.7	11.16

＊フォーブス誌 2022 年版 世界長者番付（Forbes' annual World's Billionaire's List）より
＊ 2015、2016、2017 年はビル・ゲイツが世界 1 位

数民族でありながら、世界の資産の半分以上をユダヤ人が保有しているのです。それってとんでもないことだと思いませんか？　ためしに、2022年の「世界の大富豪」トップ10を見てみましょう（図1-1）。半数の5人をユダヤ人が占めています。

冒頭に述べたような、「ユダヤ人＝お金持ち」というイメージは、長者番付から見ても、あたっていると言えるかもしれませんね。

5000年の歴史を現代に受け継ぐカラクリ

ユダヤ人は、5000年以上もの歴史のある民族です。しかしながら、ユダヤ人の歴史とは、悲しいかな、迫害の歴史とイコールでもあるのです。

第二次世界大戦時、ナチス・ドイツによる迫害、虐殺のホロコーストはあまりにも有名です。ユダヤ人だという理由だけで、実に600万人もの命が奪われました。

しかし、これだけではなく、ユダヤ人に対する迫害は古くから何度も繰り返されてきた歴史があります。遡ると、紀元前17世紀には、ユダヤ人は奴隷としてエジプトに連れ

ミホリン

去られました。エジプトを脱出して、現在のパレスチナに定住しますが、紀元前６世紀にエルサレムが滅ぼされ、囚われの身となったユダヤ人はバビロニアに連行される事件も起きました。紀元1世紀にはローマ帝国によって国が滅ぼされ、多くのユダヤ人がヨーロッパ各地に離散することになります。ヨーロッパの地においても、ユダヤ人への差別は続きました。このように、ユダヤ人とは、あらゆる時代に迫害を受け続けてきた民族であるといって差し支えないでしょう。

ユダヤ人が受けてきた迫害の酷さをものがたる、こんな驚くべきエピソードもあります。ある日、ユダヤ人一家の自宅にいきなり軍が入ってきて、こう言いました。

「今日からここは将軍の家になる。お前たちは出ていけ」

そして、家を奪われたのです。そんな生活が、ユダヤ人の日常だったのです。もちろん、逆らえば命はありません。

こんな話もあります。ユダヤ人の子どもが道で遊んでいました。すると銃を持った兵士が現れ、きっと虫の居所が悪かったのでしょう。「目障りだ」と言って突然、子どもを銃で撃ち殺しました。不当に思ったユダヤ人の両親が裁判を持ちかけましたが、裁判官は、次のように言い放ちました。

「蟻を踏み潰して罪になるのか？」

裁判の結果は無罪。当時は、ユダヤ人の命は蟻同然、もしくはそれ以下として扱われてきたのです。ユダヤの歴史とは、家、土地、お金、そして命までも簡単に奪われてきた、こうした迫害の繰り返しなのです。

では、5000年という長い歴史のなかで、これほど迫害を受けながら、民族を絶やすことなく来れたのはなぜでしょうか？　そのカギとなるのが、ユダヤ民族、5000年の叡知を集めた「タルムード」です。「タルムード」とは、ユダヤ民族の経典であり、そのボリュームは400ページもある本がズバリ30冊以上に及びます。そこには難解な知識の理解を助けるための物語も多数、書かれています。

ユダヤ人はこの経典を、次の世代へ、次の世代へと、何十世代にもわたって守り伝えてきました。ユダヤ人のなかには、現代的な暮らしをするユダヤ人（ユダヤ人はお金持ち、といわれる時に指すのはこのユダヤ人です）のほかに、宗教に沿った正統派ユダヤ人（黒ずくめでもじゃもじゃの髭の彼らです）がいますが、後者の方々は、現代もなおこの経典を毎日読み、学ぶことを生活の主軸に置いています。

ユダヤ人は、「タルムード」をはじめとするさまざまな叡知を、家庭のなかで何世代にもわたり守り続け、５０００年という悠久の時を超えて伝承し続けてきました。それこそが本書でお伝えする「ユダヤの教え」であり、ユダヤの家庭で伝えられてきた「ユダヤ家族の教え」なのです。

前項で「ユダヤ人＝お金持ち」というイメージは、実際、あたっていると書きました。しかし、私なら、ユダヤ人といったらこういう民族だと答えます。

ユダヤ人とは、教育に長けた民族である——。

すでに述べてきたように、ユダヤ人の歴史は、迫害の歴史であり、彼らは土地を追われ、国までも追われてきた民族です。どんなにお金を稼ごうが、努力して家を手に入れようが、そのすべてを一瞬にして奪われてきたのです。だからこそ、ユダヤ人は教育に注力してきました。ユダヤ人たちの間には、こんな名言が残されています。

何人たりとも、頭のなかの知恵まで奪うことはできない——。

お金を稼いでも、土地を手に入れても、すべてを一瞬で奪われてきたユダヤ民族。そこで彼らはどうしたか？　彼らがたどり着いた知恵がこの言葉に凝縮されていると思います。つまり、目に見える一切合切をいつ奪われるか分からない。自分の命だって、いつ何どき、奪われるか分からない。それならば、何度身ぐるみを剥がされたとしても、何度でもゼロから富を構築できる知恵を残そう。そうした知恵を親から子へ、子から孫へと代々つなぎ伝えよう。誰にも奪うことのできない知恵をもって、ユダヤという民族を守り抜こうとしたわけです。

財産を奪われても、国外追放にあっても、親を殺された子どもであっても、知恵があれば未来を切り開き、生き残り、子孫を残すことができます。ユダヤ民族のなかで語り継がれてきたこの知恵こそが、「ユダヤの成功哲学」なのです。ユダヤの原理原則は時代を超えた力があり、現代にも通用するバイブルです。５０００年を超えて伝えられてきた「タルムード」の知恵は、今も色褪せることはありません。

21世紀の現在、ユダヤ人は、ユダヤ人だという理由で命を奪われることのない世の中に生きています。そして、こうしたユダヤの成功哲学に基づいて育てられた子が大人になり、「成功者」「お金持ち」になっているのです。冒頭に述べたように、世界の０・２％の人口にもかかわらず、全世界の半分の富を持つ民族となっているのです。

マックもスタバもユダヤ人が作った⁉

ミホリン

あなたが日々の暮らしのなかで使っているもののなかに、実はユダヤ人が作ったものが多くあります。

例えば、あなたが肌身離さず持っている携帯電話のメーカーは何ですか？　そこにリンゴのマークは付いていませんか？　iPhone、iMac の生みの親スティーブ・ジョブズ。彼の生みの親はユダヤ人ではありませんが、育ての親はユダヤ人です。ユダヤ人一家の教育を受けて育てられ、ユダヤの教えや考えを身に付けていたからこそ、ジョブズは世界的成功を収めたのです。

ジョブズの例は、ユダヤの教えで大切なのは血縁としてのつながりではなく、教育によって伝えられるものであることも教えてくれていますね。

分からないことがあると、まずパソコンやスマホで検索する人が多いと思います。その検索エンジンはほとんどが Google です。Google で検索することを「ググる」と略して言いますが、これは一番よく使われる検索エンジンがGoogleだから生まれた言葉です。このGoogleというインターネット関連サービス企業の創業者、ラリー・ペイジ、セルゲイ・ブリンもユダヤ人です。IT系ではほかにも、DELLパソコンで知られるデルの創業者マイケル・デルや、インテルの創業者アンドリュー・グローブもユダヤ人です。

飲食系では、緑のマークのコーヒーチェーン、そう、スターバックスもそうです。スターバックスをみなさんの知っている規模感にしたのは、ハーワード・シュルツというユダヤ人です。また、ハンバーガーのマクドナルドを今の形に展開した、レイ・クロックもユダヤ人です。

ファッションでは、Gパンで有名なリーバイスのリーバイ・ストラウスや、ポロのアイコンのラルフローレンを設立したデザイナーのラルフ・ローレンもユダヤ人です。

「結婚指輪は給料の3カ月分」という有名なフレーズを生み出したダイヤモンド業界もユダヤ人創業者が多いですし、銀行や保険会社の創始者にはたくさんのユダヤ人が名を連ねています。なぜなら銀行や保険を作ったのがユダヤ人だからです。財閥として有名なロスチャイルド家、ゴールドマン・サックスのマーカス・ゴールドマン、投資家として有名なジョージ・ソロス。彼らはみな、ユダヤ人です。

私たちの日常生活には、ユダヤ人によって作られたものがこんなにもたくさんあり、私たちはその恩恵を受けているのですね。

このように見ると、ユダヤ人の優秀さ、凄さに圧倒されるのではないでしょうか？

ミホリン

アインシュタインもユダヤ人

ユダヤ人といえば、「成功者」を連想される方も多いと思います。成功者といえば、ノーベル賞受賞者の約2割がユダヤ人です。

世界一有名なノーベル物理学賞受賞者といえば、アルバート・アインシュタインでしょう。彼もユダヤ人です。アインシュタインには、彼が解明した４つの代表的な科学理論があります。それが、「ブラウン運動」「光電効果」「特殊相対性理論」「一般相対性理論」です。ちなみに、２０２１年は、アインシュタインのノーベル物理学賞受賞１００周年でした。それを記念した特別展「アインシュタイン展」を観に行かれた方も多いのではないでしょうか？

図 1-2　ユダヤ人の学者

天文学者	カール・セーガン
物理学者	エドワード・テラー（水爆の父）
物理学者	ロバート・オッペンハイマー（原爆の父）
化学者	グレード・ピンカス（経口避妊薬の発見）
物理化学者	フリッツ・ハーバー（化学兵器）
物理学者	ハインリッヒ・ルドルフ・ヘルツ（周波数のヘルツは彼の名に由来）
数学者	ジョン・フォン・ノイマン
哲学者	カール・マルクス
心理学者	ジークムント・フロイト
心理学者	アブラハム・マズロー　（マズローの欲求５段階説）
経済学者	ミルトン・フリードマン
経済学者	ポール・サムエルソン
経済学者	ポール・クルーグマン
経済学者	ベンジャミン・グレアム（「賢明なる投資家」ウォーレン・バフェットの育ての親）
経営学者	ピーター・ドラッカー　（経営理論「マネジメント」）
心理学者	アルフレッド・アドラー
経済学者	ミルトン・フリードマン（ノーベル経済学賞受賞）

そのほかにも、ユダヤ人には著名な学者が数多くいます。図1-2はほんの一例で、まだまだ世界的に名の知れたユダヤ人学者はたくさんいます。世界にたった０・２％しかいないユダヤ人が、学問の世界でもこんなにも活躍しているのです。

ピカソの絵はなぜ高く売れたのか？

ミホリン

絵画の世界に話を移しましょう。

画家のピカソはあまりにも有名ですが、彼もユダヤ人です。もちろん彼は、画家として素晴らしい才能があるわけですが、注目すべきは、彼が画家としての才能以上に「自分の絵を売る」ということに対して天才的だったことでしょう。

ピカソは新しい絵を描きあげると、画商を数十人呼んで展覧会を開き、作品を細かく説明したそうです。そうして多くの画商に競争原理を働かせ、絵の価格を吊り上げたのです。また、友人を画廊に行かせて、「ピカソの絵はないか？」と言ってもらい、その後に実際に画廊に絵を売りに行った、というエピソードもあります。

ピカソは、人々が買っているのは絵という「モノ」でなく「ストーリー」であることも分かっていたし、実際にそうして自らの絵の価値を絵画の価格に転化していたのです。

もし、読者のあなたがワイン好きの方なら、「シャトー・ムートン・ロートシルト」というフランスのボルドーのワインをご存じでしょう。世界のワインを代表する5大シャトーのうちの1つです。

「ロートシルト」は「ロスチャイルド」のドイツ語風の読み方で、つまりここは、ユダヤ人大富豪のロスチャイルド家のシャトーです。

このシャトーのラベルは、毎年、有名な画家が描くことで知られていますが、1973年のラベルは、ピカソによるデザインです。

絵の評価が上がれば、ワインの評価も上がります。お互いの評価が相乗効果で上がれば、ますます価値も上がっていきます。これがユダヤの原理原則の1つで、WIN-WINを大事にしているのです（P149参照）。

この年、シャトー・ムートン・ロートシルトは、メドックの格付けで2級から1級に格上げされました。

有名シャトーのラベルまで描けば、その宣伝効果は絶大です。ピカソの絵が高く売れるのも納得ですね。ちなみに、この絵の対価はワインで支払われたのだそうです。ビジネスマインドに優れ、絵を高く売ることで、巨額の富を得ることができたピカソ。「シャトー・ムートン・ロートシルト」のラベルを描いた１９７３年、91歳でその生涯を閉じましたが、残された7万点の絵画と、ピカソの家やシャトー、そして現金を合わせると、遺産の評価額は、日本円にして約７５００億円にも及びます。

経済的な成功者としても、超一流と言えるでしょう。

よく引き合いに出される話ですが、ピカソが圧倒的に儲かった画家であったことと比べると、ゴッホはその真逆の人生を送りました。今やゴッホ展は予約が取れないほど人気ですが、約２０００点にも及ぶ彼の絵画は、生前にはほとんど売れなかったのです。オランダ出身のゴッホは、ユダヤ人ではありません。ピカソのように「自分の絵を売る」という才能はありませんでした。現代ではどちらも世界的に知られる画家ですが、ピカソとゴッホの生前の境遇の差には驚かされます。

ピカソのほかにも素晴らしいユダヤ人の画家は多くいます。シャガールやモディリアーニ、カミーユ・ピサロもみなユダヤ人です。みなさんもきっと知っていたり、絵を観たことのある作品の画家ですよね。

図1-3　ルノワール「イレーヌ・カーン・ダンヴェール嬢」

美術の部門でもう一人、有名なユダヤ人をご紹介しましょう。ルノワールが描いた肖像画「イレーヌ・カーン・ダンヴェール嬢」のモデル、イレーヌ嬢です。「絵画史上最強の美少女」といわれたこの絵を、ご存じの方は多いのではないでしょうか。

日本では、2018年に「至上の印象派展　ビュールレ・コレクション」展覧会が東京（国立新美術館）、名古屋（名古屋市美術館）、福岡（九州国立博物館）、名古屋を巡回し、そのなかの代表作として多くの鑑賞者を魅了していました。

この絵は、パリに住む大富豪のユダヤ人銀行家のカーン・ダンヴェールの娘、

イレーヌが8歳の時の肖像画です。彼女は、同じパリの大富豪でユダヤ人銀行家のカモンド伯爵の元へ嫁ぎますが、激動の人生を送りました。カモンド伯爵は美術愛好家で、ベルサイユ宮殿を模して作らせたお屋敷は、現在ではニッシム・ド・カモンド美術館になっています。

映画文化を創ったのは、誰？

ミホリン

読者のみなさんのなかには、映画がお好きな方もいるでしょう。

ハリウッド映画は、言わずと知れたアメリカ文化の象徴的存在ですが、実は、この映画産業を作り上げたのもまたユダヤ人なのです。ハリウッドの礎を築いた映画会社の多くは、ユダヤ人によって創設されています。

20世紀ＦＯＸ（現・20世紀スタジオ）は、ウィリアム・フォックス。ＭＧＭ（メトロ・ゴールドウィン・メイヤー）は、ルイス・Ｂ・メイヤー。パラマウント映画は、アドルフ・ズーカー。ユニバーサル・スタジオは、カール・レムリ。コロンビア映画は、ハリー・コーン。ワーナーブラザーズはワーナー兄弟（ハリー、アルバート、サム、ジャック）。

そして、映画監督として、おそらく最も有名な監督の一人といえば、スティーブン・スピルバーグ監督ですが、彼もユダヤ人です。スピルバーグ監督の作品には、「E.T.」「シンドラーのリスト」「ジョーズ」など、世界的に知られるものが数多くあります。

スピルバーグ監督のほかにも、ユダヤ人の監督は多いです。クロード・ランズマン（「ショア」）、ビリー・ワイルダー（「麗しのサブリナ」「アパートの鍵貸します」）など、名監督ばかりですね。

ユダヤ人の俳優も多いですね（図1-4）。私たちが現代、こうして映画を楽しむことができるのも、多くのユダヤ人のおかげなんですね。

さらに、音楽の分野にも、ユダヤ人の素晴らしいミュージシャンが大勢います（図1-5）。

ちなみに、日本がクラシック大国になれた背景には、ナチスによる迫害を逃れて来日したユダヤ人指揮者、ローゼン・シュトックをはじめ、多くのユダヤ人が与えた影響や貢献がありました。ウラディミール・アシュケナージ、アンドレ・プレヴィンらの著名な指揮者が日本のオーケストラで指揮棒を振ったほか、多くのユダヤ人音楽家が日本で

図1-4　ユダヤ人の俳優

ハリソン・フォード	ナタリー・ポートマン
カーク・ダグラス	ジェシー・アイゼンバーグ
ウディ・アレン	グウィネス・パルトロー
ダスティン・ホフマン	スティーブン・セガール
ローレン・バコール	ダニエル・ラドクリフ
ガル・ガドット	レイチェル・ワイズ
シラ・ハース	
	など

図1-5　ユダヤ人のミュージシャン

ミュージシャン	ビリー・ジョエル サイモン＆ガーファンクル ニール・ダイヤモンド ベニー・グッドマン バーブラ・ストライサンド	マイケル・ボルトン キャロル・キング バリー・マニロウ ニール・セダカ ボブ・ディラン
バイオリニスト	アイザック・スターン ヤッシャ・ハイフェッツ	ユーディ・メニューヒン ダヴィッド・オイストラフ
ピアニスト	ウラジーミル・ホロビッツ	
指揮者、作曲家、ピアニスト	レナード・バーンスタイン	
ミュージカルで有名な作曲家	ジョージ・ガーシュイン	

演奏を披露しました。

もし、彼らがいなかったら、日本を代表する世界的指揮者の小澤征爾も、ピアニストの中村紘子も生まれなかったことでしょう。ちなみに、中村紘子がジュリアード音楽学校で師事したのは、ユダヤ人ピアニストのロジーナ・レヴィーンです。

アンネの日記の世界を現実に体験した人々

ナチスの迫害については、『アンネの日記』が有名ですね。

第二次世界大戦中、ナチスの迫害を逃れて隠れ家に潜んでいたユダヤ人の少女アンネ・フランクが書いた日記です。

作者のアンネは、ドイツのフランクフルトに生まれ、ナチスの迫害から逃れるためにオランダのアムステルダムに移住しました。しかし、オランダでもユダヤ人に対する迫害がひどくなったために、隠れ家に身を潜めて住んでいました。

日本の題名では『アンネの日記』ですが、オランダ語の原題は『隠れ家』です。

両親と姉の4人家族と知人4人の計8人による隠れ家での共同生活は2年に及びましたが、ある日、密告により逮捕されます。アンネは強制収容所に送られ、感染症で亡くなりました。8人のうち、終戦まで生き残ったのはアンネの父、1人だけでした。

この日記は、父オットーの手で出版されたものです。

スティーブン・スピルバーグ監督の映画「シンドラーのリスト」をご観になったでしょうか？

ドイツ人実業家であるオスカー・シンドラーは、第二次世界大戦中、ポーランドがナチス・ドイツ軍の占領下に置かれ、ユダヤ人の迫害・虐殺を目にし、彼らの救済を決心。全財産を投げ打って、ユダヤ人を自身の工場に雇い入れることで、1200人もの命を救ったのです。この実話を元にした映画は、アカデミー賞12部門にノミネート、うち作品賞、監督賞、脚本賞、撮影賞、編集賞、美術賞、作曲賞の7部門を受賞しました。グレーの映像のなかで、赤いコートを着た幼い少女の映像が胸を打つ作品でした。

ちなみに、この映画「シンドラーのリスト」の世界を氷上に再現したのが、2014年のソチ五輪でユリヤ・リプニツカヤが演じたフィギュアスケートのプログラムでした。

一人彷徨う赤いコートの幼い女の子を演じた会心の演技は、多くの方の胸を締め付け、印象に残っているのではないでしょうか。

ホロコーストに関する映画作品では、そのほかに「戦場のピアニスト」も有名ですね。

「東洋のシンドラー」といわれるのが、日本人の杉原千畝（すぎはらちうね）です。

彼は第二次世界大戦中、日本領事館領事代理として赴任していたリトアニア外交官時代に、のちに「命のビザ」と呼ばれるビザを発給し、ユダヤ人6000人の命を救いました。杉原氏の勇気ある行動で救われたユダヤ人の末裔は、今や何万人にも及ぶといわれています。

ユダヤと日本の共通点

ミホリン

ここで、ユダヤと日本の共通点について見ていきましょう。

みなさんは、映画「レイダース／失われたアーク」（「インディ・ジョーンズ」シリーズの第1作）を観ましたでしょうか？　この映画のなかで、ヘブライの秘宝「契約の聖櫃（アーク）」は、モーセが神から授かった「十戒石板」を保管するための箱であり、上部に羽を広げた黄金の2つの天使（ケルビム）が向かい合っています。

これは、日本の神輿とそっくりです。日本の神輿も金で覆われ、上部に羽を広げた鳳凰があり、下部にはアーク同様、2本の棒が貫通し、抜かれることなく保存されます。神輿を担ぐ時の掛け声「エッサ、エッサ！」は、ヘブライ語で「運ぶ」の意味。掛け声「わっしょい、わっしょい」は、ヘブライ語では「神が来た。神が来た」という意味なのだそうです。

あまりの共通点の多さに驚かされませんか？

また、古代ヘブライには天使と相撲を取る話がありますが、これは神様と相撲を取る、日本の相撲神事と似ていますし、相撲における掛け声「ノコッタ」は、ヘブライ語で「征服した」という意味、「ハッケヨイ」は、ヘブライ語で「投げ打て、やっつけろ」の意味だそうです。土俵に塩を撒き清めることも一緒です。日本人もユダヤ人も、水や塩で身を清める「みそぎ」の習慣があるようです。

ユダヤ教の宗教的記念日、過越祭（ペサハ）と日本の年越しから正月にかけての習慣も似ています。ペサハでは、日本の大みそか同様、家族で寝ないで過ごします。お祝いの7日間という期間も、日本の正月の7日間と同じです。餅のような中身の入っていないパンを重ねて飾るのですが、これは日本の鏡餅と形状も似ています。このように、お正月のお祝いでも類似性が見られます。
ほかに次のような共通点が見られます。

《言語》

・「鳥居（トリイ）」はヘブライ語の「門」を意味し、「帝（ミカド）」は高貴な人物を意味するヘブライ語の「ミカドル」によく似ています。このように、日本語と類似したヘブライ語は、３０００語以上あるともいわれています。

《神事》

・ユダヤのノアの箱舟が大洪水を乗り切ったことを祝う「シオン祭り」と京都の祇園祭にも共通点が多くあります。祇園祭の山鉾（やまぼこ）巡行が行われる7月17日は、ノアの箱舟がアララト山に流れ着いた日であり、ノアの箱舟と山鉾も似ているのです。

・ユダヤのレビ族（祭祀担当）はみな、白い服を着ており、その姿は日本の神官と似ています。ユダヤ人が祈りの際に額に付ける「ヒラクティリー」と呼ばれる小箱は、山伏が被る兜巾（ときん）と酷似してます。

・山伏が吹く「ほら貝」と、ユダヤ人の祭りの際の羊の角で作った「ショーファー」は、その音がそっくりだそうです。

・日本の神社と古代ヘブライの神殿は配置構造が似ているし、古代ソロモン神殿の前には、お賽銭を入れる箱も置かれていました。

・伊勢神宮の内宮から外宮の間の石灯籠には「カゴメ紋（六芒星）」が刻まれていますが、イスラエルの国旗、ダビデ王の紋章にも同じ形が刻まれています。

・日本の神社の前には狛犬（こまいぬ）がいますね。この狛犬、犬というよりライオンに似ている気がしませんか？　古代ソロモン神殿の前には、ライオン像がありました。

《紋章》

・エルサレム神殿の門には、天皇家の16弁の菊花紋と似た紋章が刻まれています。現在のユダヤ教のシナゴーグ（ユダヤ教会堂）には、イスラエル民族の紋章として菊の紋章が見られます。

ちなみに、世界のなかで菊花紋をシンボルにしているのは、ユダヤ人と天皇家以外にはほぼ見られません。

《遺伝子》

・そしてなんと、遺伝子[※1]においても日本人とユダヤ人には共通点が見られます。
男性の細胞のなかのY遺伝子は父から息子へと男系のみで伝えられますが、日本人の約40％近くの人々のY染色体ＤＮＡには、「ＹＡＰ」（ヤップ）と呼ばれる特殊な遺伝子配列が見られます。これは中国人、韓国人にもほとんど見られず、アジアのなかで大変珍しいものです。ところが、全世界のユダヤ人の20～30％は、日本人と同じくＹＡＰ遺伝子配列を持っているのです。つまり、遺伝子的に見て、日本人とユダヤ人は親戚関係にあるのです。

こんなにも共通点が多いことに、本当に驚きますよね！　日本人とユダヤ人にはこれだけ多くの共通点があるので、「日本人とユダヤ人の祖先は同じであった」とか、日本人は「失われたイスラエル10支族ではないか」などの説もありますが、詳しいところは分かりません。今後の学術調査や研究で明らかになっていくかもしれませんね。
イスラエルの元駐日大使、エリ・コーヘン氏は、徳島県美馬市の倭大國魂神社でメノラー（イスラエル国家の紋章として使われる七枝燭台）を発見した際に、「日本人とユダヤ人は同じ先祖を持つ」と発言したそうです。日本人とユダヤ人には多くの共通点がある訳ですから、先祖において、何らかの関わりやご縁があったとしても決して不思議ではないと思われます。

「ユダヤの教え」というと、どこか遠い国の、日本人とは無縁の国の教えであるかのようなイメージを持たれる方が多くいますが、右記の例から推察していくと、とても近しく思えてくるのではないでしょうか？　これからお伝えしていく「ユダヤの教え」も、あなたにとって身近であり、あなたの毎日に活かせる学びであることをお伝えしたく、いろいろな例を紹介させていただきました。

＊1　久保有政『日本とユダヤ運命の遺伝子』学研、２０１１年

ユダヤの成人は13歳（女性は12歳）

長年にわたる迫害の歴史のなかで、いつ何どき資産や命が奪われるか分からないユダヤ人は、自分たちの血を絶やさないために、どうしたと思いますか？

ミホリン

ユダヤの家庭に代々伝わる有名な格言があります。

「目に見える財産は、いとも簡単に奪われる。ただ、私たちの頭のなかにある知恵だけは、何人たりとも奪うことはできない」

ユダヤ人は長い年月、どんな家を建てようが、どんなにお金を稼ごうが一瞬で奪われかねない環境にいました。そのため、彼らは次の世代に血をつなぐため、ユダヤ民族の存続を懸けて「教育」に没頭したのです。つまり、家やお金などを持ち続けることができなかったユダヤ人にとって、「教育」こそがすべてだったのです。ユダヤ人というと、お金持ち、成功者というイメージがあると思いますが、実は、ユダヤ人とは「教育のプロ」なのです。

ちなみに、ユダヤ人は教育に没頭したと言いましたが、実際、ユダヤの家庭では、子どもの教育にどのくらい注力しているのでしょうか？　なんと、ユダヤ人が子ども1人にかける教育費は、年間800万円だそうです。統計によると、日本の家庭の平均の教育費が年間約320万円（公立小学校に通う小学生）ですから、いかにユダヤ人が教育に全力を捧げているのかが、お金の面からも見て取れるでしょう。

ところで、ユダヤ人の成人式は何歳だと思いますか？　男性は13歳、女性12歳です。

日本と比べると、ずいぶん早いですよね。日本では中学1～2年生くらいの年です。

ユダヤの教育では、それまでに社会に出て仕事をし、自分で収入を得られるように教育するのです。それも、ユダヤの教育では、早期にまず権利収入を得ることで生活を安定させ、15～16歳までにファイナンシャルフリーになりなさい、と教えるのです（第6章参照）。日本では２０２２年に成人の年齢が20歳から18歳に引き下げられましたが、それでもまだまだ学生であり、定職に就いていないの子も多いですよね。

本書でお伝えする「ユダヤの教え」とは、ユダヤ人が主に5～6歳くらいから、成人（12～13歳）までの間に家庭のなかで親から子へと伝承される学びです。ユダヤの家庭では、12～13歳頃までに学び切っている内容ですが、本書の読者のほとんどの方はそれよりも年齢が上かと思います。

しかし、「ユダヤの教え」は、あなたの人生が１８０度変わるほど、パワフルな教えです。決して遅すぎるということはないのです。今からでも、そして何歳からでも、私たちは学ぶことができます。そして、その学びを人生に活かすことができるのです。

なぜ、門外不出といわれる教えを学べたのか？

マサ

２０１８年8月のことです。

知人から、「ユダヤの教えをアメリカへ学びに行きませんか」と誘われました。

私は、「ユダヤ人に成功者が多いのはなぜだろう？　知りたい！」と思っていましたので、行くことにしました。飛行機に飛び乗り、いざ、ビバリーヒルズの豪邸へ。そこで初めてお会いしたのが、ジュリアス師匠でした。

初めて見るジュリアス師匠は、背が高くて、スマートで、キリッとしていて、「カッコイイ男性だなぁ」という印象でした。黒マントにヒゲがもじゃもじゃのおじいさんのような人をイメージしていましたが、まるで違いました。

私たちは、その日から1週間いろいろな課題を実践することになりました。

実は、ジュリアス師匠は、ユダヤの家に生まれ育ったのではありません。師匠は台湾、オランダ、日本の混血で、ユダヤの血はそもそもまったく入っておりません。師匠の人生に「ユダヤ」というキーワードが入ったのは、12歳の時です。ジュリアス師匠の年の離れたお姉さまが結婚したお相手が、ビバリーヒルズに住むユダヤ人だったのです。そして、お姉さまがお嫁に行った時、ジュリアス師匠もまた一緒にビバリーヒルズに渡ったのです。

ユダヤ人家庭では、子どもの教育は母親が担当するケースが多いのですが、12歳の師匠の教育担当となったのは、ユダヤ人家族の間で「長老」と呼ばれる、ダイヤモンドの総卸業を営む94歳の男性でした。

ジュリアス師匠は、長老から直接、ユダヤの教育を受けたのです。

ジュリアス師匠が最初に目指した職業は、ダイヤモンドの卸売業です。ダイヤモンドにはまったく興味はなかったけれど、長老の生き様に憧れ、長老と同じ職業を目指し、実の兄弟を差し置いてダイヤモンド卸売業のポジションを勝ち取りました。

その後、友人の不幸な死をきっかけに、教育業の道を志すようになります。

ジュリアス師匠の人生は長老からの教えで変わりました。「この教えには人の人生を変える力がある」と確信したジュリアス師匠は、ダイヤモンドの仕事の一切合切を兄弟に譲り、「ユダヤの教え」を人に伝えることをライフワークとすると決めたのです。

すでに述べてきたように、「ユダヤの教え」とはユダヤ民族の迫害の歴史から生まれたものであり、自分の家族を守るために命懸けで編み出された学習法です。それにより、ユダヤ人家庭には、世界の頂点に立つほど効果的な学習方法が確立されたのです。

しかし、「ユダヤの教え」を伝えていこうとしたところ、重大な問題が起きました。それは、ユダヤ人コミュニティからの猛反対です。「ユダヤの教え」とは、ご先祖さまが代々、命を懸けて守り受け継いできた貴重な教えです。どうして他民族に明かしてよいことでしょう。反対されても当然だともいえました。しかし、その時、ユダヤの長老が言いました。

「ジュリアスがこれを教えたいというのだ。何が悪いのだ？」と一言。家族にとって長老の言うことは絶対でしたので、これにより、ジュリアス師匠の活動に文句を言う人は、誰もいなくなったといいます。

ところで、先ほど述べたように、ジュリアス師匠が、私たち日本人に「ユダヤの教え」を教えたいと思ったきっかけは、友達の死なのだそうです。

その友達は、騙されてお金を失い、自殺をしてしまったのだそうです。

「友達がユダヤの教えを知ってさえいれば、騙されて自殺などすることもなかったの

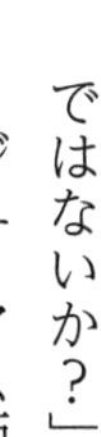

ではないか？」

ジュリアス師匠は、こう考えたといいます。もともと教育に興味があったこともあり、今は、教えることが生き甲斐だと師匠は言います。そのおかげで、私たちはその恩恵を受けることになったのです。

ジュリアス師匠は、ユダヤの家庭で長老から直接学び、それを日本人に日本語で伝えることのできる、私たちにとって唯一無二の存在です。そして今回、そこでの学びを書籍という形でみなさまにシェアしたいという私たちの申し出も「応援するよ」とおっしゃってくださり、本書を作成することができました。私は、ユダヤの教えで人生が変わりました。本書があなたのお役に立つことを、心より願っております。

ミホリン

ユダヤの教えは脳科学と行動心理学からなっている

「ユダヤの教え」というと、初めて聞いた方は、聞き慣れないこともあって、「特殊なもの」「宗教的なもの」なのではないかと思われる方もいらっしゃるかもしれません。

しかし、本書で取り上げる「ユダヤの教え」は、実は「脳科学と行動心理学に基づいた教育」であり、日本の私たちにも通用する、とても理にかなった教えなのです。また、本書で取り上げる教えは、前項でご紹介したように、ジュリアス師匠がユダヤ人家族から学んだユダヤの家庭に伝わる教育です。「ユダヤの教え」であって、「ユダヤ教の教え」ではありません。

「ユダヤの教え」を一言で説明するならば、この世の「原理原則」についての学びです。原理原則とは、「いつ、誰がやっても、同じ結果が出るもの」のことです。

例えば、持っているりんごを手から離したら、どうなりますか？　そう、落ちますね。この結果は、誰がやっても変わりません。男でも女でも、若くても歳を取っていても、お金持ちでも貧乏でも、１００年前でも１００年後でも、どの地域や国でやっても、誰がやっても等しく、りんごは落ちるのです。

このように、「いつ、誰がやっても、同じ結果が出るもの」。これが「原理原則」の定義です。「ユダヤの教え」では、こうした普遍的な原理原則をしっかり身に付けることによって、うまくいく人生のコツを学ぶのです。

原理原則の学びと対極にあるのが、「テクニックの学び」です。

例えば、今は Chat GPT が世間を騒がせていますが、Chat GPT をどう使いこなす

のかを学ぶのは、「テクニックの学び」です。このような学びは、普遍的ではありません。令和の現在、８ミリビデオカメラやＭＤレコーダーの使い方を学んでもほとんど役に立たないのと同じで、その時代、その場所では役に立つけれど、時代や場所が変わったら役に立たなくなるかもしれない学び、それが「テクニックの学び」です。

ここで言いたいのは、「原理原則の学び」のほうが大切で、「テクニックの学び」が不要だということではありません。そうではなく、「どうせ学ぶなら、学びの順番も意識したいですね」と言いたいのです。「原理原則の学び」は時代が変わってもずっと有効ですから、一生涯の学びであり、人生のスキルです。

むしろ、そうした学びを習得したうえで、テクニックも学んだならば、そのテクニックの学びで手に入れたスキルを、もっともっと有効に活かせるはずです。もしくは、原理原則を身に付けることで、学びのスピードが加速するのではないでしょうか。

そのように考えると、原理原則は、できるだけ早いうちに身に付けるのがお勧めです。ユダヤ人が13歳の成人前に身に付けるのはそういった理由があるのです。早く身に付ければ、それだけ長く活用できるのですから「お得」ですよね。

ところで、世の中を見渡すと、「ユダヤの教え」と似ているように思われる教えがあります。例えば、今現在「世界ナンバー1コーチ」といわれているアンソニー・ロビンズ氏。『達成の科学』（フォレスト出版）のマイケル・ボルダック氏。『7つの習慣』（キングベアー出版）のスティーブン・R・コヴィー氏。『あなたの夢を現実化させる成功の9ステップ』（KADOKAWA／中経出版）のジェームス・スキナー氏。彼らの教えには相互に共通する教えがありますし、これからお伝えする「ユダヤの教え」とも重なる部分があります。これらの教えは、世の中の原理原則を伝えているからこそ、重なる部分があるわけです。

「りんごを手から離したら落ちる」というこの世の原則がヨーロッパの学校でもアメリカの学校でもアジアの学校でも、どこでも同じように学ばれているのと同じことです。

20世紀に入って脳科学や行動心理学に関する研究が進み、人間の心と行動の関係が科学的に解明され始めていますが、「ユダヤの教え」を学んでいると驚くことがあります。ユダヤの教え――、それはつまり5000年の叡知を集めた「タルムードの教え」ですが、今の時代でも通用する原理原則を伝えているのです。

昔のユダヤ人たちは、科学的な説明は抜きにしても、感覚的に知り得た真理をしっかりと伝承していったのかもしれません。

第1章 まとめ

1. 世界のたった0・2％のユダヤ人が、世界の資産の半分以上を保有している。

2. ユダヤ人は、ゼロから富を構築できる知恵を代々つなぎ伝えてきた。

3. ユダヤの成人式は13歳（女性は12歳）であるが、それまでにユダヤ民族の存続を懸けた教育が行われている。

4. ユダヤの教えとは、原理原則についての学びである。

第2章

ユダヤの教育の9割は実学だった

もはや日本は先進国ではない

ミホリン

私たち日本人は、私たちの国、日本は先進国であるといわれて育ってきました。けれども、果たして現在も、先進国なのでしょうか？

わが国の総人口は2018年現在、1億2644万人です。そのうち65歳以上の人口が総人口に占める割合は、28・1％まで上昇しています。わが国では、少子高齢化が急速に進展した結果、2008年をピークに総人口が減少し、人口減少時代を迎えています（図2－1）。

世界を見回しても、日本は他国に例のないスピードで、高齢化が進んでいます。主要先進国の高齢化率推移でも、日本はダントツの1位。それでいて、若年人口もまた減少しているのです。

国内総生産（GDP）の世界第1位がアメリカ、第2位が中国、第3位が日本であることはご存じかと思いますが、では、第2位と第3位の差が3倍以上あることは、ご存

図2-1　人口の割合の推移（平成元年～30年）

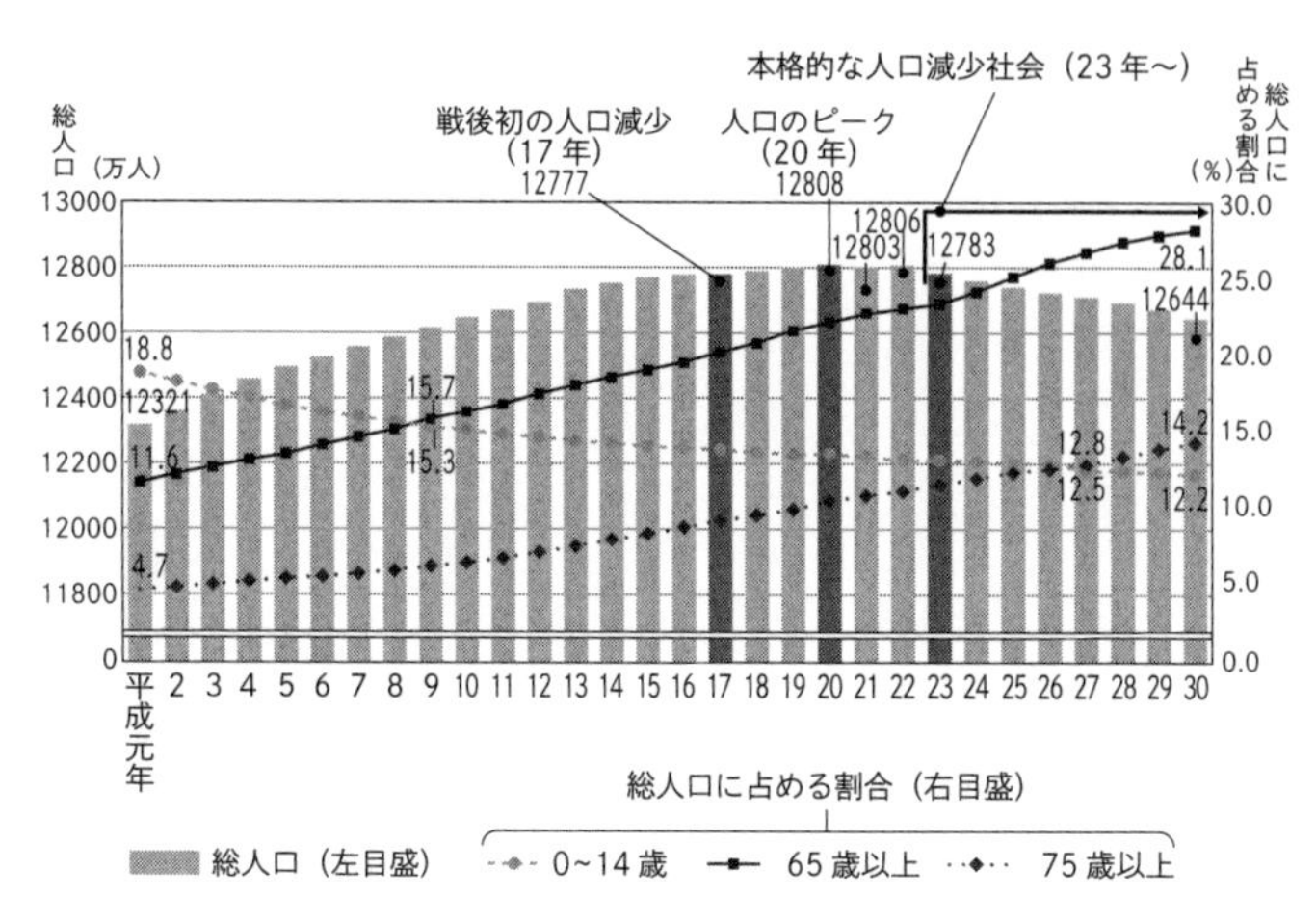

出典：「国勢調査、人口推計」（総務省統計局）
（https://www.stat.go.jp/data/topics/topi1191.html）

じでしょうか？　国の平均的な豊かさを表す、国民1人あたりのGDPは、購買力平価換算で世界第30位です。

そして最近になって物価上昇が叫ばれていますが、ここ30年ほど、日本の給与は上がってきませんでした。実際、日本という国に住みながら、収入が上がっていないのに生活費や税金などの支出ばかりが増えていくことに恐怖を感じている日本人も多いのではないでしょうか。

国連機関で持続可能な開発ソリューション・ネットワークが毎年発表している、世界幸福度ランキング（2022年）では日本は54位です。

主要国の自殺死亡率は第1位です。

図 2-2　主要国の自殺死亡率

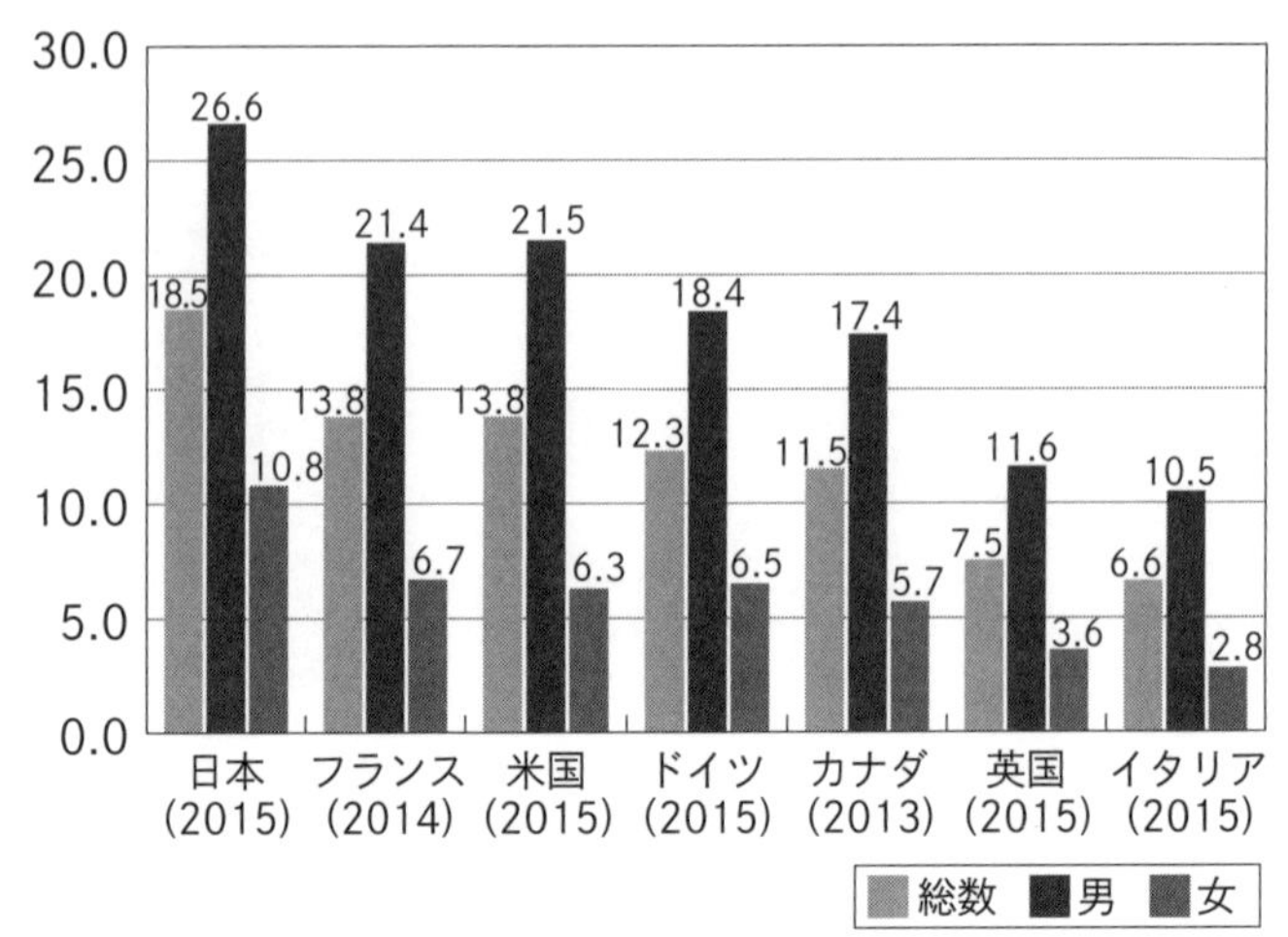

出典：世界保健機関資料（2018 年 9 月）より
厚生労働省自殺対策推進室作成
注：「自殺死亡率」とは、人口 10 万人あたりの自殺者数をいう。

日本の国力は落ちています。自信もなくしています。

日本の企業は、1989年に世界トップ企業トップ10に7社、トップ50に32社入っていました。今は残念なことにトップ10どころかトップ50のなかの31位にトヨタ1社が入っているだけです。

もっと日本人であることに自信を持って良いはずなのに、希望や夢が持てないなど多くの面で世界でもワースト国になっています。日本人はもはや先進国とはいえない現実を認め、どのような対策を取ったら良いのかを考えていかなければならないと思います。

「幸福度」が異常に低い国、日本

マサ

日本人の「幸福度」が低いことは、最近、よく報じられるようになりました。

前述の通り、世界幸福度ランキングで日本は54位です。先進国のなかでは最低順位となっています。GDPや健康寿命は高いですが、日本の特徴は「人生評価／主観満足度」がとても低いことです。上位はフィンランド、デンマークなど北欧の国をはじめとするヨーロッパ諸国がほとんど独占するなか、ユダヤ人の国であるイスラエルが9位に食い込んでいます。アメリカは16位です。

日本は若者の幸福度が低いことも問題です。

2020年のユニセフの調査によると、日本の子どもや若者の「精神的幸福度」は、先進国38カ国のうち37位でした。身体的健康度は1位です。しかし、生活満足度と自殺率を掛け合わせて算出した精神的幸福度はワースト2位と、極端に低かったのです。

ちなみに、同調査で日本の15～19歳の自殺率は、10万人あたり7・5人で、調査対象国41カ国中30位になっています。イスラエルは2・2人で3位です。

日本の子どもたちの幸福度を高めていくにはどうしたらよいのか？　やはり、教育のあり方から考え直していく必要があるのではないでしょうか。

日本の親が褒めるのは100点を取った時だけ

ピンクたん

あなたは今まで、どんな時に褒めてもらった記憶がありますか？

あなたにお子さんがいる場合は、どんなことを褒めてあげているでしょうか？

多くの子どもたちは、テストで100点を取ってきた時や、リレーで1位を取った時や、賞状をもらった時などに、親から褒められた記憶があるのではないでしょうか。つまり、良い結果に対して褒められているのです。

実は、この結果に対して褒めるということを子どもの頃から繰り返すと、100点を取る自分は素晴らしい人間であると思うと同時に、悪い点数しか取れない自分はダメな人間である、というマインドも設定されてしまいます。

また、こんな状況ではあなたは、自分のお子さんをどう紹介するでしょうか？「〇〇ちゃんは勉強もできて、しっかり挨拶もできて、賢いし、立派ね」と近所の方から褒められた時、「そんなことないですよ、家では全然言うことを聞かないことも多くて、いつも手を焼いてます」と答えてはいないでしょうか？

相手が褒めてくれたことをそのまま正直に受けとめることに抵抗を感じ、こんな悪い面もあると、謙遜するつもりでお話しするお母さんは少なくないですよね。

日本では、お互いに謙遜し合う文化があり、相手を立てるために、身内を下げるという風潮があります。これは相手を思いやる美しい心の文化です。

ところが、まだ状況が把握できない子どもにとっては、親がほかの方に言っていることを、そのまま受け取ってしまうことがあり、「自分はダメな子なんだ」と、自己肯定感を下げてしまうことにもつながりかねません。

また、自己肯定感を下げる要因はこれだけではありません。日本は、古来からの文化傾向として、諸外国と比べて愛情表現が少なく、愛情表現の際、恥じらいが美徳とされ、些細な表現から相手の気持ちを読み取る文化が根付いています。しかし、愛情表現が少ないことは、自己肯定感を下げてしまう1つの要因になっているのではないかと私は考えています。

日本人は、「愛してる」などの愛情表現の言葉は、恥ずかしくてなかなか言えません。言わなくても、察してほしい、分かってほしい、というのが、日本人の多くが持つ感情でもあります。

伝統芸能である日本舞踊などを見ても分かるように、動きは少なく、わずかな仕草や目線の変化で表現する繊細さが、美徳とされます。それに比べ、海外ではダイナミックに表現することを求められたり、相手に自分の気持を伝えるために体いっぱいにオーバーアクションをする傾向が強くあります。挨拶でもハグを交わしたり、言葉でもしっかり相手に伝わるように伝えることが大切とされています。

自己肯定感を高めるのに大切なのは、多くの愛情表現を分かりやすく子どもに与えることです。しかし、日本では、海外に比べて愛情表現が分かりにくく、伝わりにくいという面があり、自己肯定感が育ちにくい環境であると考えられます。

ところで、この「自己肯定感」という言葉、最近よく聞くようになりましたが、こんな素朴な疑問はありませんか？　自己肯定感が低いと、いったい何が良くないのでしょうか？　自己肯定感が低いと、どんな弊害があるのでしょうか？

自己肯定感が低いと、常に自分に自信が持てません。これはご存じの方も多いでしょう。しかし、そればかりではありません。自己肯定感が低いと、同じことをやっていても、幸せを感じる力が弱くなり、幸せを感じにくくなるという傾向があります。

自分の意見を言う場においては、自分の意見を否定されると、自分の意見には価値がないと感じてしまい、自分の意見を言いにくくなったり、自分の意見を主張できなくなる、という弊害もあります。また、失敗をした時には、「もうダメかも、どうせ私は何をやってもうまくいかない」と、自分を責め、次にチャレンジするのも躊躇してしまうようにもなります。

一方、自己肯定感が高いと、「大丈夫、大丈夫！　失敗は成功のもと！　今回はうまくいかなかったけど、次はうまくいくようにすればいい！」と、自分に自信があるので、失敗も成功するための過程として考え、次にチャレンジすることができます。

日本人の自己肯定感は、世界的に見て、低いといわれています。それはもともと、日本人が持っている気質もあるかもしれませんが、幼い頃から結果で評価される性質や、完璧を求める傾向、それに加え、謙遜の文化や愛情表現の少なさが影響していると考えられます。

私には4歳の娘がいますが、ユダヤの教えを学んだことから、自己肯定感が下がってしまうことがないように気を配りながら子育てをしています。つまり、結果ではなく、過程を褒めることを大切にしています。まだ4歳なので、テストの答案用紙は持ち帰ってきませんが、保育園でいろいろなものを作って持ち帰ってきた時は、「すごいね‼」とできたものに対してただ褒めることはしません。

「これはどうやって作ったの?」「たくさん考えて作ったんだね! よく考えたね! すごくいいものができたね!」と、作った物だけではなく、がんばって考えて作ったことに対して褒めるよう心がけています。

娘なりにいっぱい考えて作った作品です。考えたことに対して褒めることによって、作品ではなく、自分自身が褒められていると感じてくれるといいなと思っています。

その効果が現れているのか分かりませんが、娘の口癖は、いつも、「大丈夫、大丈夫!」です。自分で飲み物をこぼしても、「大丈夫、大丈夫、拭けばいいよ!」と。親のほうが、「大丈夫じゃないよ……」と思ってしまうくらいです。

そして、なるべく、娘に伝わりやすい愛情表現を心がけています。言葉では、「大好きだよ」と伝えることを大切にしています。そうすると娘も、「お母さん大好き! お

父さん大好き！」と言っています。

世界最強のパスポートを持っていますか？

ミホリン

みなさんはパスポートを持っていますか？

日本から、ビザを取得することなく、パスポートのみで渡航することができる国や地域は、なんと１９３あり、これは世界ランキング1位です。つまり、世界で最も信頼度が高いと評価されているのが、日本のパスポートなのです。

世界で一番信頼されているということは、日本人に対する「信頼貯金」が貯まっているということです。私たちの先祖の活躍に感謝したいですよね。

ちなみに、２０２０年に登場した最新のパスポートの査証ページには、浮世絵師の葛飾北斎の代表作である「富嶽三十六景」の作品があしらわれています。

実は、１９９９年のアメリカの『LIFE』誌の特集「この１０００年で最も偉大な業績を残した世界の１００人」で、唯一日本人で選ばれたのが、北斎なんです。

日本人はそんな「世界最強のパスポート」を持つことができるのですが、なんと、日本人のパスポート保持率はコロナ前で４人に１人にすぎません。２０２３年現在では、コロナ禍の影響もあって、６人に１人（17・１％）にまで落ち込んでいます。なんと、もったいないことでしょうか。日本人が、なんでそんなにもったいないことをしているのか、私なりに考えてみました。

日本人は、海外に目を向けない傾向があると思います。すでに手に入れている生活に満足していて、「冒険はしたくない」「そのままでいい」と思っている人の割合が高いのではないでしょうか。そのうえ、良くも悪くも国内だけで生きていける環境が整っていますから、他国に出ていかなければいけない動機が生まれません。

世界にはもっといいものがあるし、まだ知らないものがあるかもしれないのですが、そのことに目が向きにくいのです。

私は世界中の感動をお届けする「感動クリエイティスト」として、世界にあふれる素敵なもの、美味しいもの、美しい景色、素晴らしい人との出会いを通じて感性を磨くこと、そしてその感動を多くの方にお伝えする活動をしています。自ら感性を磨き、その感動を多くの人にもお伝えして、みなさんにも感動を味わってほしいのです。

私は定年までの38年間、同じ職場に勤め続けてきましたが、同僚のなかではダントツに海外に足を運んできました。訪れた国は約30カ国！

そのなかにはバミューダのような、なかなか日本人が行こうとしないところもあります。また、カリブ海、ハワイ、エーゲ海、地中海、アラスカなどを周遊するクルーズ船にも積極的に乗船してきました。海やシュノーケリングが好きなので、リゾート地ではモルディブ、ベトナムのダナン、ハロン湾、タイのプーケット、サムイ島、ホアヒン、パタヤ、インドネシアのバリ、グアム、そして定番のハワイなどに行きました。

人より多く世界を見てきて感じるのは、世界にはもっと美しいもの、素敵なもの、美味しいものなど、感動できるものがいっぱいあるということです。

本書をお読みいただいている方にもぜひ、「もっと感動できるものに触れて夢を持ってほしい」と思っています。

ユダヤでは、「夢は知識」だという教えがあります。

世界にはたくさんの素敵な建物、美術館、景色があります。それを知ることによって、「観に行きたい！」と思うし、こんなに美味しそうな料理や果物、おつまみ、お酒があるのかと知ることで、「味わってみたい！」と思うのです。

逆に言うと、知らなければ「それをしたい」という「夢」にならないのです。

例えば、世界には見たこともないような変わった果物が存在します。その存在を知ったら、食べてみたくなりますよね。

私が好きな番組に、ＮＨＫの「世界はほしいモノにあふれている」という番組があります。この番組では世界の食器やジュエリー、インテリアやお菓子、スパイスなど、その国々の「素敵なもの」を紹介しています。この番組が、世界には「こんな素敵なものがあるんだよ」と紹介してくれることで、海外に出ていくための背中を押してくれるのです。みなさんも、ご自身の興味のあることがらについて、今一歩、深く足を踏み入れてみると、世界に出ていきたいと思うかもしれません。

「世界最強のパスポート」という宝物を持って、素敵なものを見つける旅に出かけてみませんか？

残念ながら２０２３年7月20日のニュースによると、イギリスのコンサルタント会社が発表した「世界パスポートランキング」で、日本は5年間維持していた首位から3位へと順位を下げました。

このランキングは、ビザなしで渡航できる国と地域の数から算出したもので、１位はシンガポールで、１９２の国や地域。対して日本は、前年の１９３カ所から１８９カ所に減りました。中国やミャンマーへの渡航には、新たにビザが必要になっています。

日本の義務教育はサラリーマン育成所

マサ

日本人は非常に真面目で、とても勉強熱心だと思います。

私が小学生の頃は、１クラス45人くらいでした。担任の先生が一人で全教科を教えていましたので、先生の影響が大きくて、クラスによって雰囲気はずいぶん違いました。最近では、１クラス35人ほどになり、先生の目がいくらか届きやすいようになってきているようですが、きめ細かな指導はむずかしいようですね。

担任の先生によってクラスの雰囲気は変わりますが、教え方はあまり変わりません。先生は黒板を使って説明をして、生徒は座って先生の話を聞いて、丁寧にノートを取りながら学びます。

私が小学生の時は、家庭教師が家に来て教えてくれましたが、受験をして私立の中学校に行く人はあまりいませんでした。現在では、地域によっても違いますが、多くの子どもが中学受験をしますので、学校から帰ったら塾に行くのが日課になっているようです。

ほとんどの日本人は、学校の勉強を一生懸命して、テストで良い点を取り、良い大学に行くことを目標に勉強します。良い大学に入れば、良い会社に就職しやすくなり、良い会社に入れば経済的に安定して一生豊かに暮らせると考えます。サラリーマンになり、出世して、自分で事業でも起こせれば、お金持ちになれたり、社会で認められるような地位にも就け、一生安定した暮らしができると考えてのことです。

ところが、私たちはそろそろ気付かなくてはなりません。良い大学に入り良い会社に就職して経済的にも安定すれば、一生豊かに暮らせるという時代はもう終わりだということに……。

サーカスの象の喩え話は、ご存じでしょうか?

サーカスの子どもの象は、足を縄で縛られ、杭につながれていました。何度も何度も逃げ出そうとして、力の限り杭を抜こうとしましたが、とうとう抜くことができません

でした。大人しくしていれば、餌を与えられて、安心して生きていくことができます。子どもの象は、だんだん成長して、大人の象になりました。身体も大きくなり、力もつきました。誰が見ても、杭など簡単に抜くことができると思えるのですが、大人になってもその象は、杭につながれ、大人しくしているのです。

子どもの頃にどんなにあがいても抜けなかった杭なので、象には、この杭は抜けないものだと摺り込まれています。大人になって力もついているから、今なら抜けるはずなのに、試してみることもしないのです。

私たちも、こういうものだと教えられてきたものは、簡単に破れないと思い込んでいます。こういうものだと信じ込まされてきたものを壊して、外に飛び出そうとはしません。しかし、世の中はどんどん変わってきています。常識と思ってきたことが、常識ではなくなってきていることに私たちは気が付かなければならないのです。

時代は大きく変わっています。次の世代の子どもたちには、新しい時代にあった教え方をして、豊かな生き方をしてほしいと願います。

ユダヤの親たちは、子どもへの接し方が日本人の親と根本的に違います。彼らは、子どもの夢を実現させ、豊かな人生を送ってもらうことを目標に教育しています。

依存思考 vs 自律思考

ピンクたん

これからみなさんに、とても重要でありながらも、頭を混乱させるようなお話をします。

私がユダヤの教えを学ぶなかで、解釈や説明に難儀した言葉があります。その一つが「ジリツ思考」という言葉です。

みなさん「ジリツ」という言葉を聞いて、思い浮かぶ漢字は何でしょうか？「自律」や「自立」を思い浮かべる方がほとんどだと思います。この2つの言葉の違いが、うまく説明できない方も多いのではと思うのですが、日本語の意味は次のようになります。

「自律」……自らの考えで自身の行動や考えを律する、自己コントロールをする

「自立」……ほかの人の力を借りないで、経済面、社会面で自分の力で独り立ちする

そうです。2つの「ジリツ」は、他者の影響から離れるという意味では似ていますが、似ているようで異なる意味があることを再認識できたと思います。

では、ユダヤの教えでいう「ジリツ」とは何でしょうか？　気になりますよね。ユダヤの教えのなかでは、さらにまた深く考えるべき2つの意味があります。

①「自律思考」

「自律思考」とは、自分で考え尽くした結果、自分が正しいと思ったことに対しては、たとえ相手が神であろうが、議論するというものです。

ユダヤの教えのなかでは、神の存在は絶対的で、神の教えを守り、規律を守り、生活をしています。しかし、その絶対的存在の神の言葉でさえも、「これは間違っている」と思えば、自ら主張し、神に論議することが大切である、とされています。

これは、日本人の感覚でいうと非常にむずかしいことのように思われます。相手と意見が違った時に、自分の意見を正しく主張することはなかなかできない方も多く、意見が違った場合は、どちらかが我慢するという関係になりがちです。特に立場が上の方からの意見であれば、なおさらです。相手に違う意見を伝えることは、何か喧嘩越しのようになってしまうことも多く、関係が悪くなるのを避けたい気持ちが先にきてしまい、結局、意見を言えずに我慢することがよくあるのではないでしょうか。

ですが、ユダヤ人の間では、論議することは日常であるため、喧嘩越しにはなりません。論議として、お互いの意見をぶつけ合うことこそが大切とされているためです。

この習慣は子どもの頃から作られています。ユダヤ人は、家族でご飯を食べる時間を大切にしており、ゆっくりと時間を取って家族で話をしたり、論議する時間を設けているのです。

家族関係、夫婦関係、仕事関係、さまざまな人間関係において、自分の意見を伝え、お互いに気持ちよく生きていくためには、この「自律思考」は非常に大切な教えなのです。

ここで気を付けたいのは、相手の意見に合わせるばかりが相手を想うことではないということです。自分と意見の違う相手の意見も大切にし、相手の意見に耳を傾けて、自分の意見も主張し、お互いに納得のいくWIN-WINの結果を導き出すのです。

こんな関係が作れたら素敵だと思いませんか？　読者のみなさんに、ぜひ今日から実践していただけたらと思います。

②「自立思考」

次に「自立思考」です。「自立」は、すべての結果の責任は自分にあるという考え方です。

悪いことが起こった時は、自分の責任です。その逆で、良いことが起こった時は、他人のおかげで感謝する、という考え方です。

あなたがもしも成功者になりたいと思っているのなら、本当の意味での成功者になれるかどうかは、この「自立思考」ができるかどうかにかかっています。

では、「自立思考」ができているかどうかを試してみましょう。例えばこんな時、あなたはどう対応するでしょうか？

あなたは飲食店のオーナーです。お客さまから、料理に髪の毛が入っていたとクレームがあったとします。調理したスタッフを突き止めると、コック帽子を被らずに調理していたことが分かりました。

この時、「何でコック帽子を被らずに調理したんだ！　髪の毛が入っていたと、お客さまからクレームがあった、お客さまはたいそうお怒りだ！」と言って、スタッフを責めるでしょうか。

それとも、「スタッフがコック帽子を被らずに調理したのは、自分の指導が足りなかったせいだ。これからは服装のチェックリストを作って再発防止をしないとな」と、自分の責任にして、これからのことを考えるでしょうか。

「自立思考」ができているのは後者です。どんなことが起きても、他人のせいにせず、自分にすべての責任があると考えます。これによって、すべての決断に対して責任を持つことができるようになるとともに、スタッフみんなからついていきたいと思われるリーダーになれるかもしれません。

では、お客さまから「料理が美味しかったよ！」とお褒めの言葉をいただけたとしたらどうでしょうか？

この場合は、「自分の作ったレシピがいいからだ」と思うのは、「自立思考」ができてない方です。「優秀なスタッフのおかげです」と思えるのが、「自立思考」ができている方です。

「自立」の反対の考え方は「依存」です。「依存」はすべての結果の責任は相手にあるという考え方です。

例えば、「売上が悪いのは天気が悪いからだ」というのは、「依存」の考えです。「自立思考」ができていれば、「売上が悪いのは、自分の責任。雨の日の売上が落ちているから、雨の日のサービスを考えよう」となるはずです。

「依存思考」でいると、天気の状況や社会情勢の変化に対応できず、大切な店が廃業になってしまうこともあるかもしれません。

大変な状況であればあるほど「自立思考」は必要であると私は考えています。

さて、飲食店のオーナーの例を挙げて説明しましたが、この「自立思考」、実は身近な家庭生活でも大切になります。

例えば、子どもが学校で字が上手だと褒められたとします。この時、「子どもの字が上手に書けるようになるために、お金を払って書道教室に通わせているんだから、私のおかげだ」と思いますか？　それとも、「書道教室の先生がいつも熱心に教えてくれているおかげ」と、感謝しますか？

実は「自立思考」ができるようになると、周りへの感謝の気持ちがあふれてくるので、イライラすることは少なくなります。親のイライラが少なくなれば、子育てにおいても良い影響が与えられると考えられます。

感謝の気持ちは、ユダヤの教えのなかではとても大切な教えの一つですので、改めて第８章でご紹介します。

座学重視の日本人、実践重視のユダヤ人

ピンクたん

みなさんは、「勉強する」といったら、どんな姿を思い浮かべますか？

私自身は、学校の教室で、先生が言ったことをメモしたり、先生が黒板に書いたことを書き写す姿を思い浮かべます。あるいは、家のリビングや、自分の部屋で、朝までテスト勉強をする姿を思い浮かべます。

「勉強する」というと、机に向かうイメージを持つ方が多いのではないでしょうか？

学校で勉強するにしても、家で勉強するにしても、共通することは、椅子に座って机に向かうということです。まさに、日本の教育は「座学重視」であるといえます。

しかし、ユダヤの教育は違います。ユダヤの教育は「実践重視」とされています。

ユダヤの教育にも座学はありますが、「座学1割、実践9割」なのです。「座学1割」と聞くと、日本人の私たちはカルチャーショックを受けるかもしれません。

では、どうしてユダヤ人は実践をこんなにも重視するのでしょうか？　それはメリットが大きいからです。実践をすると、座学よりもはるかに大きな成果が出やすく、記憶にも刻まれやすく、学習効果を最大限に発揮することができます（図3－2参照）。

分かりやすい例でお話しすると、英語教育が挙げられます。

日本人が何十時間やっても、なかなか話せるようにならない英語。中学校で3年間。高校で3年間。なかには大学でも4年間。それでも、流暢に話せる人は一握りどころか、聞き取れる人も多くない現状があります。塾に通って英語をさらに勉強したり、今は小学校でも英語をやったり、幼児教育に取り入れたりしています。こんなに英語ずくめなのに、結果はというと、ご存じの通りです。

一昔前よりは随分と、座学にプラスして、実践も取り入れられるようになった日本の英語教育ですが、半年でも海外へ行ったほうが、聞き取れるようになったり、話せるようになったりします。

英語を例に挙げましたが、実践教育の大切さや、結果の出やすさは、実は日本人のみなさんも分かっているはずです。分かってはいるものの、学校教育の現場ではなかなか現状の教育システムを変えるのは困難といえます。

だからこそ、私はみなさんに、家庭や職場でできる、実践教育を大切にしてほしいと考えています。

「では、どんな実践をすればよいの?」と、座学での教育だけを受けてきた方は分からなくなってしまうかもしれませんが、とっても簡単な方法があります。

それは、自分の頭で考えたり、考えたことを行動に移してみることです。

座学ではどうしても受け身の教育になり、教えてもらったことを、頭のなかにインプットするだけになりがちです。結果を出すための実践の第一歩としては、まずは、習ったことを、アウトプットすることです。習ったことをアウトプットするためには、どうやって相手に分かりやすく伝えようか、自分の頭で考えなくてはいけません。

もしかすると、アウトプットしようとしてみたら、アウトプットできないことに気付くかもしれません。それは、勉強したつもりになっているだけで、右から左へ聞いたことが頭に入っていないのかもしれませんね。

また、人に教えることで、記憶の定着率も上がるので、忘れにくくもなります。

今日の出来事や、習ったことをアウトプットしたり、自分の考えを伝えたり、いろいろな方法で、頭のなかにインプットされているものを、アウトプットすることから始めてみてください。

次の実践のステップとしては、実際にいろいろな体験をしてみるというものがあります。本や映画で素晴らしい景色を見たり、想像したりすることも大切ですが、本や映画で見た素敵な景色に加え、実際に現地に行けば、本や映画では味わえなかった感動や感情があふれ出るかもしれません。そんな体験をすることで、未来への夢を描けるようになるかもしれません。

私は、４歳の娘に実践をさせるために、娘が「これ、どうなるの?」と聞いてきたら、「やってみれば?」と言うことにしています。うまくいっても、失敗しても、実践することは、とっても大切な経験になります。とても些細なことですが、私はユダヤの教育を学んで、子どもにはさまざまな体験をさせてあげることが大切だと考えるようになりました。

座学でどんなに勉強をして知識をつけても、実践の場ではまったく通用しないということも数多くあります。

英語をどれだけ習っても、海外でまったく通用しなかった経験を持った方も多いかと思いますし、20年以上楽器を演奏してきた私の経験としては、楽器の演奏もまた同じです。知識として、こうしたら音が出ると分かっていても、実際に楽器を持ったら初めはかすれた音しか出ません。音を正しく出すには、何度も弾いて実践を重ねる必要があるのです。

また、ビジネスにおいても、本を読んだり人から聞いた知識として、成功のコツを理解していても、実際には状況に合わせた柔軟な対応が求められ、思うようにいかないかもしれません。

実際に成功されている方を見てみると、知識だけではなく、多くの実践経験を積んで、数々の失敗を乗り越えてきています。

ユダヤの家庭教育では、子どもに実践をさせるため、実際にビジネスの交渉の練習をさせたり、小さい頃から実際にお金のやり取りをして、物を売ったり買ったりをさせています。また、裕福な暮らしを体験させると同時に、貧困な暮らしも体験させます。そうした経験のなかで、子どもたちはたくさんのことを感じ、考え、将来を創造していく実践的な力を養っていくのです。

実践するなかで、たくさんの失敗や、うまくいかないことも経験していきます。幼い頃から実践のトレーニングをすることで、諦めずに何度でも挑戦し、実践し続けることの大切さも学んでいきます。

ユダヤ人は、わが子が大人になった時に、失敗から立ち直れなくなるといったことがないように、幼い頃からの実践のトレーニングをとても重要視しています。ユダヤ人の「実践重視の教育」は、知識を身に付けるための教育ではなく、まさに「生きるための教育」なのです。

第2章 まとめ

①
良い大学に入り良い会社に就職すれば一生豊かという時代は終わっている。夢を実現させ、豊かな人生を送らせよう。

②
自己肯定感を下げないためには、分かりやすい愛情表現をし、結果ではなく、努力（過程）を褒めよう。相手の意見に合わせるばかりではなく、自分の意見を伝え、意見の違う相手にも耳を傾けよう。

③
すべての結果の責任は自分にある。

④
「座学」よりもはるかに成果の出る「実践」をアウトプットから始めてみよう。

第3章

アウトプットで どんどん 頭が良くなる

人生の学びを止めてはいけない

マサ

ユダヤ人は、自分が死ぬその日まで学習をやめることがありません。

私たちの脳は、年齢を重ねることにより老化するのでしょうか？　調べてみました。

最近の研究では、脳細胞は使えば使うほど活性化することが分かってきています。勉強が脳細胞にどのような影響を与えるのかというと、脳細胞は細胞体と長い突起からなり、突起によって情報を送ります。生涯を通じて学び続けて、頭を使っている人は、神経の突起が長く枝分かれも多くなっています。つまり、脳がより効率良くなっているわけです。

浜松医科大学名誉教授の高田明和医学博士の研究によると、脳細胞にたくさんの突起や枝分かれを持っている人は、ボケないし、ボケる確率が非常に少なくなることが分かったといいます。つまり、学び続けることにより、脳を効率的に長く使うことができるのです。

私たちの脳は、自分が何をどうしたいかを考えることによって、絶えず作り変えられています。このことは最近、非常に重要な研究として注目されています。

私たちは毎日、これをやろうかやめようか、あれにしようかこれにしようかと常に悩み、選択しています。今、これを食べようか、後で食べようかなどという些細な選択もあれば、こちらの仕事を受けるべきか、それともあちらの仕事にするべきかというような人生を左右するような決断もあります。それぞれの選択で、これまで身に付けてきた知識や経験が判断基準となるのです。

ですから、一つひとつの決断に、それまで身に付けてきた知識や経験から得た結果が影響し、学びによって人生の選択が変わることを理解しておくことが重要になるわけです。

子どもたちは、日常の生活のなかでたくさんの疑問を持ち、親に尋ねます。

そんな時、ユダヤ人の親は決して答えは教えません。

「あなたはどう思うの?」と、子どもに質問し、自分で調べさせたり、自分で考えさせたりしながら、自分で考える力を徹底的に鍛えていきます。そうして自分で考え行動することで、自立する力が養われていくのです。

子どもにお金を遺すか教育を遺すか

マサ

もし、あなたが親であるならば、あなたはわが子に何を遺(のこ)したいですか?

何をするにもお金は必要で、なくてはならないものですね。しかし、当然ですが、お金は使えばなくなります。

本当のお金持ちは、どういう人のことを指すのでしょうか。お金をたくさん持っている人のことでしょうか? それともお金を増やす手段を知っていて、お金を増やすことのできる人でしょうか? 私は後者だと思います。

私の父は、私が一生困らないようにと、たくさんのお金を遺してくれました。しかしながら、父が亡くなった後、遺されたお金はすべて税金として国のものになりました。

魚を与えるのではなく、魚の釣り方を教える――。

有名な言葉ですが、お金を失っても、お金を生み出すことができれば、何の問題もないのです。

お金を増やす方法を教育されていれば何も困りません。

ユダヤ民族はその迫害の歴史から、どうしたら自分の家族、子孫を守ることができるだろうかと考えました。財産や居場所のすべてを奪われても、頭のなかの知恵までは奪われません。だからこそ、わが子の教育に没頭したのです。

マサ

アスター学習法

ユダヤの原理原則のなかに、学習の効果を高める学習法として、「to be a star 学習法」略して「アスター学習法」があります。図3－1の5つが、「アスター学習法」です。

この学習法の大きな特徴は、習慣を身に付けることです。

「アスター学習法」の5つについて、もう少し詳しく見ていきましょう。

A＝アテンド〔参加〕

アテンドは「参加する」という意味ですが、「参加する」とはどういう状態をいうの

図 3-1　アスター学習法

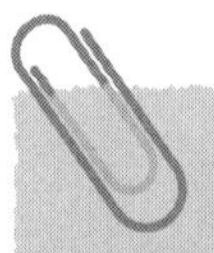

TO BE A STAR 学習法

A＝アテンド（参加）

S＝スタディー（学習）

T＝ティーチ（教える）

A＝アプライ（応用）

R＝レビュー＆レポート（復習と報告）

でしょうか？

　私は今までいろいろと学びたいと思い、高いお金を支払って、講座に参加してきました。その時は良いことを聞いたと満足するのですが、1日たち、2日たち、3日たち、1週間も過ぎたら、学んだ内容のほとんどを忘れてしまいます。

　ユダヤ式学習法では、ただ聞いただけでは「参加した」とはいえません。

「参加する」とは、明確な目標や目的意識を持って取り組み、教えのすべてを吸収するつもりで傾聴し、課された練習や課題を一生懸命行うことです。これが「アスター学習法」のアテンドなのです。

視聴するだけの人は、ただの「ギャラ

リー」であり、アテンドとは明確に区別されます。

振り返ってみると、私は若い時から視聴しているだけのギャラリーでした。態度について問題と思ったこともなかったのです。けれども、ユダヤ式学習法から見ると、それでは「参加した」ことにはならないわけです。

S＝スタディー〔学習〕

ここでは、「ユダヤ式ノートの取り方」をご紹介します。

「ユダヤ式ノートの取り方」は、まず、ページの真んなかに縦に1本線を引きます。左には、ひらめきやアイデア、右には、行動することを書きます。講座などに参加する時は、先生が話す言葉をそのまま書くのではなく、先生の言葉を聞いて思ったこと、感じたこと、気付いたことを左側に書き、右側にはそれによってやりたいと思ったことを書きます。

私たち日本人は、ノートを綺麗に丁寧に、先生が黒板に書いた通りに書き写そう、話したままを書き留めようとします。私も子どもの頃は、先生が話したことを、一つも書き漏らさないように、書き留めておくことに一生懸命でした。しかし、書くことに意識が向きすぎて、内容について考えたり、ひらめきをメモしたり、やりたいことを書いたりする余裕はありませんでした。そうしたノートの取り方を思い付きもしませんでした。

高校生の時に、歴史の試験で100点以上の105点を取ったことがあります。

なぜ105点を取れたかと言いますと、授業中に先生が話したことを一言も書き漏らさず書いて、後からノートを綺麗に書き直して、漢字も正しく書いて、それを丸暗記していたからです。先生は私の答案が漢字まで正しく書けて満点を取れていたので、105点をつけてくれました。しかし、105点を取れたからといって、通信簿が5だったからといって、それで私がその内容を記憶できたわけではありません。試験のために覚えたことは、試験が終わったらすぐに忘れてしまいました。丸暗記は、記憶に定着する勉強方法ではないのです。

「ユダヤ式ノートの取り方」のように、話を聞いてひらめいたことを書いていれば、記憶に残ったかもしれませんし、やりたいことを思い付いたかもしれませんね。

考えて行動することに力を入れているユダヤ人と、ただ覚えることに力を入れている日本人では、ノートを取る目的からして違っているのです。

人は、考えて行動することを繰り返し、習慣化することで人生を作っていきます。ユダヤ式ノートの取り方は、そのために必要な行動を促すノートの取り方だといえます。

T＝ティーチ〔教える〕

私は、15歳から茶道を習っていました。茶道では、生徒は教わるだけであるのがあたり前でしたから、習うだけであることを疑問と思いませんでした。

ところが、こんな私にも教えてほしいという人が現れ、教えるようになると、その時になって初めて「学んだことは人に教えることによって初めて自分の学びになる」ということに気が付いたのです。「教える」という行為によって、初めて理解を深めることができるのです。

習っているうちは習っているだけの人です。人に教えるという行為をすることによって、人に間違ったことを教えてはならないと、改めて自分で勉強し直すのです。自分が理解していないことは教えられません。私は、人に教えるようになって初めて真剣に学ぶようになりました。

ユダヤ人の親は毎日、その日何を学んできたかを子どもに尋ねます。ですから、子どもたちは毎日、学校から帰ったら親に何て話そうかと考えながら学んでいます。アウト

図 3-2　知識の蓄積率

プットすることを前提に学ぶのです。親に話すには、自分がきちんと理解していなければいけません。だから、どのように話したら良いかと考えながら真剣に聞くのです。

これがユダヤの教育であり、日本人の勉強法とは大きく異なっているところです。

参考までに、アメリカの精神科医であるウイリアム・グラッサー博士が示す知識の蓄積率は図３－２の通りです。

A＝アプライ〔応用〕

「アスター学習法」における「応用」とは、何でしょうか？

「ユダヤ式ノートの取り方」で、ページを左右に分けたうちの右側に「行動すること」を書きましたね。この「行動すること」を実践することが「応用」です。実際にやってみることで学びが深くなり、自分の体験となります。この実践を繰り返すことで習慣化するようになります。

ユダヤの教えに、「すべての結果は習慣の連続体である」という原理原則があります。この習慣化させることが、「アスター学習法」の大きな狙いなのです。

習慣が身に付くと、大変なことが大変ではなくなります。習慣が変われば結果が変わる。結果が変われば人生が変わる――。人生を変えたいと思うならば、まず習慣を変える必要があるのです。

R＝レビュー&レポート〔復習と報告〕

「習慣が身に付くまでやり続けるぞ」と意気込んでみても、一人でやっていたら、だんだんやらない理由を見つけて、しまいにはやめてしまうでしょう。

そこで、「アスター学習法」では、アカウンタビリティ・パートナーをつけて毎日報告することを義務づけます。アカウンタビリティ・パートナーとは、自身がさぼらないように見ていてもらう相手（相棒）です。

私は、毎日ラジオ体操をやることを決めて、アカウンタビリティ・パートナーに報告しました。報告すると決めると他人を意識します。だから、続けたいことが続けやすくなります。一度習慣になってしまえば、やらないほうが気持ち悪く感じるようになります。

このように身に付けたい行動が習慣化されることが、「アスター学習法」の大きな特徴なのです。

「子ども先生」に学ぼう

マサ

日本の小学生が学校から帰ってきたら、何をするでしょうか？　塾に行かせるのが大半ではないでしょうか。
ユダヤの親は違います。今日習ったことを家で親に話させるのです。まさに「アスター学習法」のティーチ（教える）の実践です。

図3-3　忘却曲線

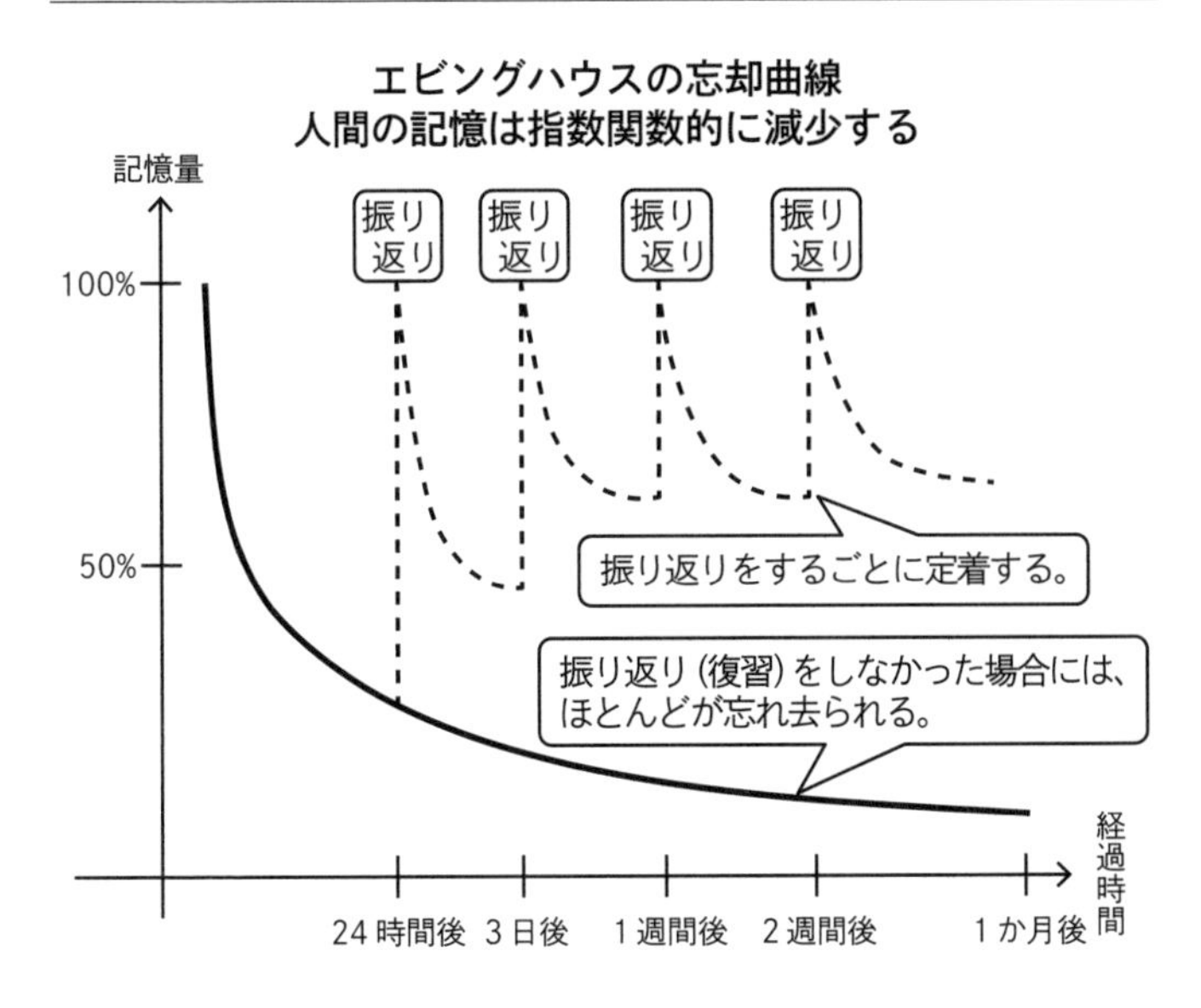

第3章

こうすると、子どもは授業中に漫画を描いたり、ぼんやり外を眺めたり、遊んではいられません。その日、家に帰ったら、「今日習ったことを親にどのように説明したら伝わるだろうか？」と、あれこれ考えながら授業を聞かなければならないからです。つまり、授業で習ったことをその場で理解をして、自分のものにしていかなければならないのです。すると、必然的に先生の話を真剣に聞かざるを得なくなるわけです。

図3－3を見てください。

この曲線は、学んだことを覚え続けている割合を示したものです。図が示すように、私たちは復習も何もしないでいると、1日後には約3割、1週間もすればおよそ8割を忘れてしまうのです。

一方で毎日、記憶の新しいうちに習ったことを親に教えていれば、記憶を定着させることができます。この習慣の差が積みあがっていくとどのような差が生まれるか、想像に難くないでしょう。

ところで、アウトプットによって日々、学びをしっかりと自分のものにしていくためには、自分が分からなかったことは調べて、他人に説明できるレベルで理解しておかなければなりません。こうしたユダヤ式学習法を継続することで、考える力が身に付くだけでなく、「自立心」も身に付きます。

日本の親とユダヤの親の大きく違うところは、子どもたちがその日、学校で学んできたことに対する向き合い方です。ユダヤの親は、記憶の新しいうちに、記憶を定着させるための働きかけを行いますが、日本の親は、学校で学んできたことがまだ定着していないことには触れずに、塾に通わせ、また別のことを学ばせようとしています。おなかがいっぱいで「もう食べられない」と言っているのに、消化のできていないうちに、「もっと食べなさい」と食べ物を与えているのです。

日本の親のように、闇雲に子どもに学習の機会を与えるだけでは効率が悪いことがお分かりいただけるのではないでしょうか。
これでは子どもが消化不良を起こしても不思議ではないですよね。

第3章 まとめ

①
脳細胞は使えば使うほど活性化する。
脳を効率的に使うためにも学び続けよう。

②
子どもは自分で調べたり自分で考えることで、
考える力が徹底的に鍛えられ、自立する力が養われていく。

③
魚を与えるのではなく、
魚の釣り方を教えよう。

④
学んだことは、その日のうちにアウトプットして、
記憶を定着させよう。

第4章

人生のレールを敷くのは誰か

「どうして空は青いの？」と聞かれたら

ピンクたん

立派な先生とは、どんな先生でしょうか。立派な親とは、どんな親でしょうか。

日本の教育現場では、子どもの質問に対して、誠心誠意答えを教えるのが立派な先生と思われてはいないでしょうか。親もまた、その先生方の教育で育ったため、自分の子どもの質問に対して、誠心誠意答えてあげることが素晴らしいと感じ、一生懸命に親の知っている限りの知識を子どもに教えてはいないでしょうか？

けれど、どうでしょうか？　果たして、誠心誠意、先生や親の知識を教えてあげることが子どものためになるのでしょうか？

例えば、子どもがこんな質問をしてきたとします。

「ねぇ、お母さん、どうして空は青いの？　海はどこまで続いているの？」

教育熱心な親は、一生懸命、子どもにたくさんの知識を教えてあげたくて、今まで学校で習った空や海の仕組みを話すでしょう。時には、「そんなこと考えたことなかった！」

という質問には、子どもに教えるために、インターネットで検索するかもしれません。ほとんどの親は、子どもの質問に一生懸命、できるだけ分かりやすく教えてあげようとします。そして、そんな親こそ素晴らしいという風潮さえあります。

ところが、「お空が青色なのはね……」と、親のありったけの知識を教えた結果、子どもは親の提供した知識しか吸収できないことになってしまうのです。

子どもに質問されて、必死になって空について調べて、空に興味を持ち、詳しくなったのは、子どもではなく、実は、親のほうになってしまったかもしれませんね。

反対に、親は知識を知っていたとしてもあえて教えずに、「さあ、どうなっているんだろうね。お空の本を読んでみたら？」「インターネットで調べてみたら？」「分かったら、お母さんにも教えて」と言ってみたらどうでしょうか？

子どもは自分で調べることで、親も知らなかったたくさんの知識に触れ吸収できます。そして、どんどん新しい情報を手に入れ、子どもは自分で調べることが楽しくなるかもしれませんし、どんどん興味が湧いてきて、それが将来の夢につながる子もいるかもしれません。

子どものために良かれと思って、親の知識をふんだんに教えることは、実は子どもの好奇心に蓋を閉めてしまうことにつながるのです。

子どもが興味を持ったことに対して、親がすべき行動は、答えを教えてあげることではありません。調べる方法を教えてあげることなのです。

指示待ち人間を育てているのは、親だった

ピンクたん

ちょっと想像してみてください。あなたの考える「良い子」とは、いったいどのような子でしょうか？　親の言うことをよく聞く子を「良い子」とする方が多いのではないでしょうか。ちゃんと親の指示に従って、言うことを聞いた時には、「おりこうさん！」と言って、褒めた経験がみなさんあるのではないかと思います。

日本では、昔から親や目上の人の意見をよく聞き敬うことが大切だと教えられています。しかし、果たして親の命令に従うことが、親を敬い、尊重しているということなのでしょうか？

親や目上の人を敬うことは大切なことですが、いつの間にか親としては指示に従うこ

とを、「良い子」の条件にしているのではないでしょうか。

ここで一つ想像してみてください。親の命令に従う「良い子」の親に、万が一のことがあったらどうなるでしょう？　子どもは指示がないと自分では動けなくなっていることに、その時初めて気が付くかもしれません。

それまで言うことをよく聞くのが「良い子」であると信じて疑わず、親の指示に従ってきた子どもは、指示がなくなった今、途方にくれ、どうやってこの先、生きていけばいいか分からなくなってしまうかもしれません。

最近の例では、親の指示があるまで、食べ物を食べることができない子がいます。「お母さん、これ食べていい？」と、一つひとつ親に確認し、親が「いいよ」と許可を出さないと、食べ始めることができないのです。

親が子どもの食べる物の栄養や添加物などをいつも気にして、親の価値基準で「食べちゃダメ！」と制したとします。食事の度にそうしたことを繰り返していくうちに、いつのまにか子どもは、親の指示があるまで食べていいか自分で判断ができなくなってしまっていたのです。

子どものためを思えばこその指示だったかもしれませんが、子どもが自分の意思で判断ができなくなるという状態は、本当に子どものためになっているとは言い難いものです。

この先、何が起こるか分かりません。万が一に備えて、たとえ子どもが突然一人になったとしても生きていけるよう、誰かの指示を待つのではなく、自分で考え、動くことの大切さを教えていかなければなりません。

そのためには、まず「指示に従ったことに対して褒める」という教育方法から、「自分で考えて行動したことを褒める」という教育方法に変えていく必要があります。

「指示を待つ子ども」から、「自分で考えて動く子ども」に変えていくのは親の責任なのです。

親は「失敗する権利」を奪ってはならない

ピンクたん

よくある日本人の子育ての例をご紹介しましょう。

日本人の親は子どもに、「完璧」を求める傾向があります。幼児期からその傾向は見

られます。例えば、わが子が砂場で砂のお城を作っていると、親は良かれと思って手を加え、立派な砂のお城を一緒に完成させるなどします。

では、子どもは美しく完成したお城を見るこの経験から何を学ぶでしょうか？

子どもの頭のなかでは、「完璧であることが美しい、素晴らしい」とインプットされ、次第に「完璧でなければならない」と思うようになるのです。さらに、完璧を求めるがゆえに、「完璧でないものは失敗」とも考え、失敗してはいけない、失敗は許されない、失敗は悪いこと、怖いこと、恥ずかしいこと、辛いことなどと、失敗に対し、悲観的なイメージを潜在意識に植え付けていきます。

その結果、子どもは失敗を避けて通るようになり、「失敗しない人生」を選ぶようになるのです。人生において、失敗は必ずと言ってもいいほど経験するものですが、子どもの時に失敗を経験しておかないと、実際に大人になって失敗した時に立ち直れなくなる恐れすらあります。

では、ユダヤ人の親はどうでしょうか。ユダヤ人の親は、子どもに幼い頃からたくさんの経験をさせますが、そのなかでたくさんの「失敗の経験」もさせていきます。

先ほどの砂のお城作りの場合、ユダヤ人の親は、子どもとどのように接するでしょうか？　実はユダヤ人の親は、子どもを自由に遊ばせます。安全に留意したうえで、子どもが遊んでいる時には、口を挟んだりせず、手も出さず放置するのです。

そして、できあがったら、とても完璧とはほど遠い、ぐちゃぐちゃの砂のお城を見て、「素晴らしいね！」と声をかけるのです。つまりその時、美しいお城を完成させたことではなく、ぐちゃぐちゃでもいいからとにかく作ってみたこと、「結果」でなく「チャレンジした」行動を認めることを大切にしているのです。

何度でもチャレンジさせ、失敗しても責めません。失敗したのはあなたがチャレンジした証拠であると、「チャレンジした」というプロセスに対して褒めるのです。

このような育て方をすることで、失敗を恐れることなく、たとえ失敗しても、また次のチャレンジができるように育っていきます。

幼児との関わり方を例に挙げましたが、これは子どもだけの話ではありません。大人にも通用することです。失敗しないように先回りしたり、手を出したりして大切な人の「失敗する権利」を知らず知らずのうちに奪ってしまうことのないようにしたいものです。そのためにも、完璧に仕上げることに囚われず、成功に至るまでのプロセスに注目しましょう。そして、何度失敗したとしてもチャレンジし続けることのできる人生になるよう、「チャレンジしたこと」を認めてあげてください。誰しもがみな「失敗する権利」を持っているのです。

やる気を引き出す とっておきの方法

ピンクたん

みなさんは多かれ少なかれ、言うことを聞いてくれない子どもや、やる気のない従業員に手を焼いたことがあることでしょう。

こちら（自分）のお願いを嫌な顔一つせず快く聞いてくれる子どもたちや従業員がいたら、うれしくなりますよね。そして、今後（この先）、似たシチュエーションがあった時には、何も言わずとも、自ら動いてくれるようになったら、なおのこといいのになぁとも思いますよね。

けれども実際は、自分の思う通りに何でもことが運ぶわけではありません。毎回指示や注意を繰り返し、ストレスを溜めてしまう方も多いのではないでしょうか。

実は、この問題を解決する、とっておきの方法があるのです。子育て中の方や、会社でリーダー的役割を担っている方はもう、自分が我慢強くなるしかないと思う必要がなくなります。子育てを例に挙げて、私の実体験とともに、脳科学の知識を活用して、ご紹介いたしましょう。

小さいお子さんをお持ちのお母さん、お父さんならこんな経験はないでしょうか？子どもは服を脱ぎっぱなし、靴も脱ぎっぱなし、おもちゃも出しっぱなし、宿題はやらない、ゲームはいつまでもやっている。

そんな時は毎回、「服は洗濯カゴに入れなさい！」「靴は揃えなさい！」「おもちゃを出したら片付けなさい！」「宿題を先にやりなさい！」「ゲームは一日1時間までよ！」などと言わないと子どもは動かない。言うことを聞くのは、言われた時だけ……。毎度同じことを言い聞かせるのでは疲れてしまいますよね。

元来、子どもは言うことを聞かないものだからと、開き直っている方もいるかもしれませんね。けれども、自分からやってもらうにはどうしたらいいか、方法を考えたことはあるでしょうか。

子どもは、本当に正直です。嫌なことはやりません。面倒くさいことはやりません。怒られて仕方なくやっても、その時だけ。子どもが自らやるのは、好きなことや、楽しいことだけですから、多くの親が困り果ててしまうのです。

でも、ちょっと待ってください。今ご紹介した事例のなかに、実はすでに答えがあるのです。

なかなか言うことを聞かない原因は、子どもにとって、それが嫌なこと、面倒くさいこと、やりたくないことだからです。逆に、子どもにとって、好きなこと、楽しいことであれば、言われなくてもやります。ゲームは好きだから、注意してもやり続けているのです。

そうです。子どもに「無理矢理」「強制的」に言うことを聞かせている間は、子どもは言うことを聞きませんが、子ども自身が「やってみたい」と思えば、言われなくても自らやるようになるのです。

わが家では、こんな例がありました。４歳の娘が、靴を脱ぎっぱなしでお部屋に行ってしまいます。「靴を脱いだら、ちゃんと揃えようね！」と毎回言って一緒に揃えていましたが、何回やっても一向に自分から揃える素振りは見せません。靴を揃えるよりも、早くお部屋に入って遊びたいようです。娘にとって、靴を揃えることは面倒くさいことだったのでしょう。

しかし、ある日、こんなことをしてみました。家族全員の靴をたくさん玄関にぐちゃぐちゃに置いて、「さあ、今からお母さんとどっちが早く靴を並べられるか競争しよう！勝った人には、飴ちゃんゲット！」と言いました。その時の娘の反応は、よく分からないという感じで、そのままいつものように部屋に入ってしまったので、空振りかなと思ったのですが、しばらくすると、「お母さん！　靴の競争しようー！」と私を玄関に連れていくのです。

娘はたくさんの靴のなかから、自分の靴を探して一生懸命揃えていました。一生懸命揃えたので、娘に勝たせてあげました。

「○○ちゃんの勝ちだね！　お母さんが言った時に競争しなかったから、今回は飴ちゃんはありません。でも、一生懸命やったから、今回は努力賞があります！」と言って、たくさん褒めて抱っこしてグルグルしました（娘はとても得意げでうれしそうな顔をしています）。

娘は飴がほしかったのではなく、競争して「勝った！」ということがとっても楽しかったのです。それにプラスしてたくさん褒めてもらえたことで、子どもにとって、靴を揃えることがうれしいことに変わったのです。

その競争をしてから、娘は靴を自ら揃えるようになり、毎日やるうちに、それが習慣になりました。今では自分の靴だけでなく、家族の靴まで揃えてくれたり、「お父さん、ちゃんと靴揃えてね！」と、娘自身が言ったりもします。

お手伝いも同じです。お手伝いをした時に、とっても褒めてあげたら、お手伝いをすることが楽しくうれしくなって、「これお願い！」なんて頼むと、「分かったー！」と言って喜んで引き受けてくれます。「お手伝いしてね！」と頼まなくても、「お手伝いするー！」とやってきたりもします。

子どもに「〇〇してほしい」と思うと同様に、従業員に「〇〇してほしい」と思う時も、娘の例と同じように、指示ではなく、相手にとって楽しいことや、うれしいことをこちらが考えてあげればよいのです。

次項で説明しますが、脳には痛みを避けて快楽を得る習性があります。相手の脳がメリットを感じることは、自ら進んでやってくれるようになるのです。

脳科学を活用すれば悩みは解決する

ピンクたん

前項でお話ししたように、人は、喜びや楽しさや充実感など、脳がメリットと感じたことなら指示をしなくても自発的にやってくれるものです。ですから、相手に「○○してほしい」と思う場合には、相手の脳は何がどうなればメリットと感じるようになるのかを考えてみると良いかもしれません。

「痛みを避けて快楽を得る」という脳の仕組みについて考えてみたいと思います。

本当は怒りたくないのに、我慢できず怒ってしまう。泣きたくないのに、涙が出てしまう。

このように、私たちの日常には自分の感情をコントロールできないことがあるものです。

脳が痛みを避けるというのなら、怒りたくないと思っているのに怒ってしまったり、泣きたくないのに泣いてしまうのは、なぜでしょうか?

制御したいと思っているのに制御できない行動をしてしまったり、マイナスの感情を表出させてしまうことは、一見すると脳科学の原則と合わないように思えてしまいますよね。けれども実際は、怒ることや泣くことによって、実は脳は快楽を得ている（メリットを感じている）のです。

いったいどういうことなのでしょうか？

そこには顕在意識と潜在意識の影響があると考えられます。

顕在意識は自覚、意識できる領域、私たちが意思決定したり、五感で感じる感覚や、夢や悩みといった、自分で自覚している、意識の領域のことです。一方、潜在意識とは、自覚、意識できない領域、分かりやすく言えば、人間が知らず知らずのうちにしている癖や行動、思考のパターンなど、無意識の領域のことを指します。

顕在意識は自分でコントロールすることができますが、潜在意識は潜在意識を変えていくこと以外にコントロールする方法がありません。日常の生活では、自分は自分の意思（顕在意識）で動いていると思っている方が大半だと思いますが、実は人間の行動を司る意識は、顕在意識がわずか3～10％、潜在意識が90～97％を占めていると考えられています。

例えば、先ほどの例に戻りますと「怒りたくない」「泣きたくない」というのは、顕在意識です。顕在意識では、怒ることや、泣くことをマイナスと捉えているのですが、先ほどお話ししたように、人間の脳の大半を占めている潜在意識はメリットと感じているといえます。

潜在意識が何に対してメリットを感じているかは人によってさまざまですが、もしかしたら、怒ってしまう、泣いてしまうという状態にある時、心身はストレスが溜まった状態にあって、怒ることや、泣くことで、ストレスを発散する場を必要としているのかもしれません。ほかにも、怒ることや、泣くことで、誰かが気にかけてくれるので、助けてもらいたい、気付いてほしいなどの思いの現れとして潜在意識が望んだのかもしれません。

例えば、子どもがわがままを言ったので、些細なことでひどく怒ってしまった。そのことで落ち込んで泣けてきた、ということがあったとしましょう。

本人や周りにいた人には、子どもがわがままを言ったことに怒ったように見えたとしても、実の原因は本人も気が付いていない潜在意識の部分にあるのかもしれません。

本当は、わがままを言った子どもに腹が立って怒ったのではなく、夫の帰りが遅くいつも一人で子育てをしていることに対して心身共にストレスが溜まっていて、怒ることによってストレスを発散させようとしたのかもしれませんし、泣けてきたのは、夫に自分の気持ちを分かってほしい、助けてほしいというサインだったりするのかもしれないのです。

このケースでは、夫に子育てを手伝ってもらったり、話をしっかり聞いてもらうなどして、潜在意識レベルで生じている問題を解決することで、ストレスを解消し、気持ちが安定し、些細なことで子どもを怒ったりしなくなるのかもしれません。

もしもあなたが、「〇〇したくないのに、〇〇してしまう」という問題を抱えていたならば、問題の表面ではなく、その奥にある深層心理の問題に気が付き、それを解決させることが必要になってきます。

もちろん、何をストレスと感じ、何をメリットと思うかは一人ひとり違いますが、一度、根本原因を考えてみると良いかもしれません。当事者だけではなく、寄り添っている家族や周りの人も、目に見えて現れているその人の問題の原因は見えない別のところにあることに目を向けられるといいですね。

「脳は痛みを避けて、快楽を得る」

こうした脳の仕組みを理解することによって、みなさんが抱えている悩みの解決につながればうれしいです。

自分の人生の主人公になる

ジョージ

いきなりですが、人生は誰を中心に回っていると思いますか？　自分、親、子ども、会社の社長、政治家、総理大臣……。

数多くの中心人物が考えられるかもしれませんね。やはり、僕たち庶民は人生の中心にはなれず、権力者や華やかな職種、有名人こそ人生の中心なのでしょうか？

いろいろな意見があると思いますが、僕は全員が全員、己自身の人生の中心人物だと思っています。

僕が考える「人生の中心人物」とは、「誰の人生」かによって中心人物、すなわち主人公が変わってくるということです。

例えば、僕の人生の主人公は僕です。あなたは、僕の人生では主人公ではありません。

だからといって、「やっぱり、私は主人公ではなかったか」と落ち込む必要はありません。これは「僕の人生」の話だからです。「あなたの人生」では、僕ではなく、あなたが主人公です。

もしかしたら、あなたは、こう思うかもしれません。「私の能力の低さでは、主人公にはなれない」「私は人生で何をしていいか分からない。人生の目標がないから、主人公にはなれない」「こんな苦しい生活を送っているのに、主人公であるはずがない」と。

みなさんは、テレビゲームをしたことがありますか？　今だとスマホゲームでしょうか（笑）。僕は子どもの頃ゲームが好きで、よくプレイしていました。僕はその経験のおかげで人生はゲームと同じだと思っています。

ゲームをプレイする人は思い出していただきたいのですが、ゲームをスタートした時、プレイヤーの「主人公」は最初から強かったでしょうか？　それとも、弱かったでしょうか？　そうです、ほとんどの場合は、めちゃくちゃ弱い状態でゲームが始まると思います。そこからさまざまな経験をしたり、師匠や仲間と出会うことで、主人公はそのポテンシャルを発揮していくのです。

もし、あなたの人生で、自分の能力が低いと思うのであれば、これから多くの経験や出会いを重ね、レベルアップしていけばいいのです。

人生の目標がないという方は、どうすればいいのでしょうか？

目標とは誰かに与えられるものではなく、あなた自身が決めるものだと僕は思っています。あなたが自分で考え、決意して、目標を決め、行動することによって、あなたの人生は動き出します。

もしも、「どうやって自分で考えていいのか分からない」「どうやって目標を立てていいのか分からない」という方は、この書籍のほかの章に書いてある「自律思考」（P78参照）や「葬式ベース」（P238参照）をぜひ読んでみてください。

今、苦しい人生を歩んでいるあなたも、あなたの人生の主人公はあなたです。

映画はお好きですか？　少し想像してみてください。

「彼は、お金持ちの家に生まれて、一流の教育を受けて、学校でも成績が良く、一流の大学に進学し、一流企業に就職しました。そこで出会った素敵な人と結婚し、子どもが4人でき、孫にも恵まれ、最後はベッドのなかで、子どもや孫に見守られながら、その人生を閉じました……」

もしもこんなストーリーの映画があったとしたら、あなたはこの映画を最後まで観られるでしょうか？　退屈で劇場から飛び出してしまいそうですよね。こんな映画よりも、次のような映画のほうが観たいと思いませんか？

「彼は、平凡な生活を送っていたが、ある日、事件・事故が発生し、すべてを失い、人生のどん底に落ち、今までにないほどの絶望を味わいます。そこでくじけそうになりながらも、努力を続け、ある師匠と出会い、どん底から這い上がります。最後は、事件・事故を解決してハッピーエンドを迎えます……」

こんなストーリーのほうが、ワクワクするのではないでしょうか。

もしも今、苦しいのであれば、今、あなたは、ハッピーエンドに向けて、下準備の期間にいます。あなたの人生はここから行動を起こすことで、あなたの人生の主人公としての一歩を踏み出し、ストーリーが展開し始めます。

あなたの人生の主人公であるあなたが、自分は大した人間ではない、私には価値がない、私は人生のモブキャラだと思っていたならば、あなたの人生は、その通りになることでしょう。なぜなら、主人公であるあなたが、そう選択しているからです。

もう一度お伝えしましょう。あなたは、あなたの人生の主人公です。主人公であるあなたには、人生のストーリーを決める権利があるのです。脚本、演出、主演のすべては、あなたです。誰かが書いた人生ではなく、あなたが自分自身で望んだストーリーを歩むことによって、あなたは、他人の人生ではなく、自分の人生を歩んでいけるのです。

もし、このままの何も変わらない人生でいいと思うのなら、それもいいと思います。

それはあなたが決めることだからです。

けれども、「自分で人生を切り開きたい」「自分の人生の主人公として、生きていきたい」「今日から変わるんだ」という方は、ぜひ、この本を読んで、自分の使命、ビジョンを作り、それを基に行動しましょう。この本の著者はみな、そう願っています。

自分の決めた時間を優先する

ピンクたん

あなたなら、次のような場合、どんな返事をするでしょうか？

今日は久々のオフの日。午前中に部屋の片付けを終わらせて、12〜13時に病院の受診、14時からは空いていたので、読みかけだった本を読むことに決めました。17時からは友達と出かける予定が入っています。

ところが、一本の電話がかかってきました。

「お休みのところ申し訳ないが、空いている時間に少しお願いできないか？」

上司からの依頼です。こんな時、あなたなら、どう答えるでしょうか？

「12～13時までと、17時からは予定が入っていますが、午前中か、14～17時の間なら、大丈夫です」と答えるのではないでしょうか。自分以外の人との予定が入っている時間は無理だけど、自分の空いている時間なら融通が利くし、仕事だからしょうがないかと考えて、渋々ながらも、仕事を優先させる方が多いのではないかと思います。

また、友達から「ちょっと聞いてほしい話がある」と言われた時も、同じように、「12時までか、14～17時なら電話できるよ」と応えているかもしれません。

私たちは、「午前中に掃除しよう！　14時からは本を読もう！」と一度決めても、そうした時間は「空いている時間（＝フリーな時間）」であると認識し、仕事や頼まれたことが入ると他人を優先しがちです。そうして、他人を優先させ続けると、結果として自分の時間がどんどんなくなって、「最近、自分のプライベートでやりたいことが全然できてない」と感じることになるのです。

仕事も友達も大切であり、何を優先するかは、その緊急性も鑑みて状況次第ですが、いつもいつも自分との約束を後回しにする方が多いように私は感じています。いつまでたっても、自分の決めたこと（先ほどの例では、掃除、本を読む）ができずにいます。やりたいこと、やるべきことはたくさんあるのに、せっかくのオフの日も、後から後から予定がどんどん入ってきて時間が足りません。

そうした状態が蓄積されることは、ストレスにもつながるように思います。

しかし、ユダヤの教育は違います。私自身も、自分のことを後回しにする傾向が大いにあったので、ユダヤの教育を聞いて、とても驚きました。

ユダヤの教育では、「自分が決めた予定は、自分とのアポイントメント」と認識します。そして、自分とのアポを優先させます。掃除をするのも、本を読むのも、自分が決めた自分とのアポイントメントです。自分とのアポを取った時間は、たとえ仕事を頼まれても、「すみません、その時間は約束が入っているので、別の時間か、別の日にお願いします」と断るのです。緊急性や重要性の兼ね合いもあるので、何を優先させるかは、その時の状況判断によりますが、今すぐでなくてもいい仕事であれば、相手にほかの日時でとお願いしてみましょう。

ユダヤの教育では、「自分とのアポ」を優先することは、この先、充実したプライベートの時間を送るためにも、幸せな人生の時間を過ごすためにも必要だと考えます。

習慣が身に付く人、身に付かない人

マサ

小学生の頃、私は夏休みに早起きをしてラジオ体操に行っていました。そうした経験を持つ人も多いのではないでしょうか？

夏休みは長く、40日近くもあるのに、私は皆勤賞でした。

振り返ると、「スタンプを押してもらいたい」「友達もみんな行っていた」というようなことが皆勤賞を取れた大きな理由だったと思います。子どもの頃は意識していなくても、毎日スタンプを押してもらうことや、最後にもらえるお菓子がうれしくて、そんな単純な動機でやり切れてしまったのだと思います。

ところが、同じラジオ体操であっても、健康のために全身運動になるのでラジオ体操がいいな、と思って大人になってから始めてみたところ、習慣として身に付かなかったのです。

始めた時は、仲間と連絡を取り合って、やったかやらないか、報告し合っていたので、続けることができていました。ところが仲間への報告をやめたとたんに、「今日は忙しかったから仕方ないな」と、だんだんと自分を甘やかすようになってしまいました。

報告という「強制力」がなくなってしまった途端、続かなくなったのです。ズルをしていることに自分で気が付いてはいたものの、やらなくなったのです。

この時、人の目がある状態とない状態では、続けやすさがまるで違うことに気付きました。ユダヤの教えを学んだ今にして思うと、「強制力」が働いているかどうかが大事だと分かります。

みなさんは、歯磨きをする習慣はありますか？　もし、歯磨きをし忘れてベッドに入っても、「あ、いけないっ！」と気が付いて、起きて歯を磨くのではないでしょうか。そのくらい、歯磨きはしないといけないと思っているし、しないと気持ちが悪いわけです。

世間を見渡すと、職場の昼休みでも、みんなトイレの洗面台などで歯を磨いています。必ず誰もがやるというくらい、強い習慣になっているのです。

その背景には「虫歯になりたくない」「口臭が気になる」などいろいろな理由があると思いますが、理由があってもなくても、とにかく歯は磨くものであるというくらい、「強制力」が働いているのです。

大人になって挫折したラジオ体操にも、もしこんな「強制力」が働いていたならば、ラジオ体操も習慣化できていたことでしょう。

習慣化するものとしないもの、その違い、それこそが「強制力」なのです。

生まれたばかりの赤ちゃんも、幼い子も、最初から喜んで歯を磨くわけではありません。むしろ、多くの場合は歯磨きが嫌いで、お母さんに「やりなさい」と言われて、無理矢理やらされていたはずです。子どもの頃は、「きもちいい」と思って磨いていたわけではないのです。それが、いつの間にか、「すっきりしてきもちいい」と思うほどに感覚が変わっているのです。

赤ちゃんの頃は、親に手足を抑えられて、がんじがらめになって口に歯ブラシを突っ込まれたり、もう少し大きくなっても、「歯、磨いたの！」と言われて「磨いていない」と言おうものなら無理やり磨かされたりしたものです。その時は泣いたり、嫌がって抵抗したりしたとしても、それが一生続くわけではありません。歯磨きするたびに泣き叫ぶ大人など、見たことがないですよね。いつの頃からか、自分で磨くようになるのです。

これが、「習慣が身に付いた」ということなのです。

しかし、自分で自分を強制するのはむずかしいものです。それならば、他人の力をお借りするのも一案です。

やり方は、次の通りです。

まず、習慣として身に付けるには、なぜそれを習慣にしたいか？　習慣にすることのプラス面と、習慣にしなかった時のマイナス面をしっかり把握することが大事なポイントになります。

そのうえ、習慣にしたいことを、周りの人に宣言します。そして、周囲の人から見張ってもらうのです。できれば何人かで、それぞれ自分が習慣にしたいことを宣言し合います。そして、お互いにできたかどうかを毎日報告します。

この時のポイントは、

①最初はやさしい目標から始めることです。なぜならば、最初からハードな目標を立てすぎて×××と続くと嫌になってしまうからです。最初は、「自分は新しい習慣を身に付けることができたのだ」という成功体験を積むことが大切です。

そして、**②できたかできなかったかの判断ができるように、具体的な数字目標を決める**ことです。

③できたかできなかったかは、○もしくは×で記し、△は使わないこと。△を使わないのは、できたのかできなかったのか分からない目標に対し、人は自分に甘くなるからです。都合が良いように、やったことにしてしまうなど、人はそれほどまでに甘いのです。ですから、そういう傾向を理解したうえで△は使わず、○か×をつけるのです。

人生のレールは子ども自らが敷く

ピンクたん

ユダヤの学びをしている仲間に、こんな人がいます。

彼女は子どもを身籠った時、アメリカで出産することを選択しました。なぜなら、子どもが大きくなった時、2つの国籍から自分の国籍を選べるようになると考えたからです。日本人が大人になってから海外の国籍を得ることはハードルが高いですが、海外で産まれた子どもの場合、幼少期は何のハードルもなく産まれた国と日本の2カ国を行き来することができます。

ちなみに、日本の国籍法では2つ以上の国籍を持つ人に対して、22歳までに国籍を選択することを求めていますが、強制的な義務ではなく、努力義務となっています。また、アメリカで生まれた日本人は、どちらかの国籍を選ぶ必要はなく、アメリカと日本の両方の国籍を持ち続けることができます。

アメリカで生まれた日本人にとって、国の移動は、大阪と東京を行ったり来たりするくらい、たやすいものです。想像するに、ユダヤの教えを学んでいた彼女がアメリカで子どもを産むことを決めたのは、わが子が将来住みたい国を自由に選ぶことができるからで、複数の候補を持てることが子どもの将来の選択肢を広げることに大きな価値を感じていたのだと思います。

しかし、子どもの選択肢を広げたいと思っても、海外で出産したりするにはお金もかかるし、選択肢を広げられるのは一部のお金持ちだけ、と思っていませんか？　裕福な人しか選択肢を広げることができないのかというと、そんなことはありません。

選択肢を広げるには、さまざまな経験をさせるという方法もあります。経験は、裕福であるなしにかかわらず、親が子どもに惜しみなく与えることのできるギフトです。

家族揃って旅行に行ったり、お祭りや花火、キャンプ、登山を楽しんだりといったイベント事から、ボランティア活動に参加したり、農業体験、地域の行事でリーダーを引き受ける、など、積極的に行動することで、経験の幅を広げる機会はいくらでも作ることができます。

芸術に触れる経験も同じです。博物館、美術館、映画館などは感動体験の宝庫ですが、かかる費用は入場料くらいです。科学館や画廊、コンサートには無料のものもあります。絵のコンクールに応募してみる経験も良いかもしれません。

裕福でなければ、たくさんの経験をさせてあげられないように思われがちですが、やる気と工夫次第で子どもにいろいろな経験をプレゼントできます。

一方、いくら家にお金がたくさんあっても、学校と塾と家の往復しか経験できていない子もいます。子どもにさまざまな経験をさせるには、確かにたくさんのお金が必要なケースもありますが、裕福であるかないかよりも、親自身がどんな経験を与えてあげられるかを考え、実行に移すことのほうがずっと大切なのです。

私の知人には、神社や海のゴミ拾いで全国を飛び回っている親子もいますし、季節ごとに花見や紅葉など、自然の変化を観察しに出かける家族もいます。

親が「経験させよう」と意識することで、経験すべきことはいくらでも見つかるのです。親の考え方一つでいくらでもさまざまな経験を与えることはできるのです。

それではなぜ、たくさんの経験をすることで、子どもの選択肢を広げることができるのでしょうか。ユダヤには、「人は経験したことしか、イメージすることができない」という教えがあります。分かりやすく喩えてみましょう。

みかんを食べたことも見たこともない子は、「好きなフルーツは何？」と聞かれた時に、みかんをイメージできません。ですから、みかんという選択肢はありません。

親が、「みかんは酸っぱいから食べないだろう」とか、「手が汚れるから嫌がるだろう」と、与えなかったとしたら、子どもはフルーツの選択肢にみかんそのものがなくなるのです。もしかしたら、酸っぱいフルーツが好きで、みかんを食べてみたらみかんが一番好きになるかもしれないのに、その選択肢を奪っているのです。

そもそも親が特定のフルーツしか子どもに与えていなければ、子どもは数少ない選択肢のなかでしか好きなフルーツを選べないことになります。

一方で、子どもにさまざまな種類のフルーツを食べさせている親がいるとします。スーパーに売っているフルーツだけでなく、海外に行った時には、日本にないフルーツを食べさせたり、りんご狩りに行ったり、庭ではイチゴを育てていて自分で収穫したイチゴを食べさせたり……。この子に「好きなフルーツは何？」と聞いたら、子どもはどう答えるでしょうか。たくさんのフルーツを思い浮かべてそのなかから、一番美味しかったものを選ぶことができますよね。

もしかするとさまざまなフルーツを食べたことをきっかけに、「フルーツマイスターになりたい！　家でイチゴジャムを作ってみよう」と言い出したり、海外で食べたフルーツを思い出して、「行ったことのない外国にはどんなフルーツがあるの？」とイメージが広がるかもしれません。

人は経験したことしかイメージができないので、経験が少なければ選択肢も狭くなり、経験が増えれば、選択肢も広がるのです。

経験を積むことによって選択肢を増やすことは、子どもの可能性を広げることにもつながります。そしてその結果、子ども自身がやりたいことを見つけることにもつながるのです。「あの時あれを見たから」「あの時あの人に会ったから」という、たった一つの出会いや体験が、その子のその後の人生を決定づけることになるケースはよくあります。何が人生を決めるかは、分からないのです。

たくさんの経験をさせてあげれば、子どもはたくさんの選択肢のなかから自分自身でやりたいことを見つけられるようになってくるのです。社会に出れば、さまざまな問題に直面します。その時に、柔軟に対応するためには、たくさんの選択肢のなかから最善の解答を選べることが大切なのです。

「夢は知識」という言葉があります。世の中にはこんな素晴らしい景色がある、こんなも美味しいものがある、ということを知らなければ、行ってみたい、食べてみたい、という思いを持つことすらできません。夢はその人物が想像し得るものの範囲でしか描けないものです。逆に言うと、知識を広めていくことによって、夢は無限に広がっていくのです。

脳に未来を経験させる「ビジョンボード」

ミホリン

あなたは「ビジョンボード」を知っていますか？

「ビジョンボード」を作ったことがありますか？

「ビジョンボード」を今、部屋に飾ってありますか？

「ビジョンボード」とは、「ドリームボード」「トレジャーマップ」「宝地図」とも呼ばれる、科学的に証明された自己実現法です。

「ビジョンボード」は誰でも簡単に作ることができます。

①コルクボードや大きな紙にあなたの夢や願望、ほしいものの写真などを貼ります。
②そのビジョンボードを目の見えるところに置きます。
③毎日眺めます。

これだけです。常にビジョンボードを見ることで、あなたの夢や願望、ほしいものが脳に刷り込まれます。

ビジョンボード作成の目的の一つは、自分を広げる、つまり、コンフォートゾーン（可動域）を広げることです。「自分ってこんな欲深かったんだ……」とショックを受ける必要はありません。なぜならば、欲は幸せのありかを見つけるサインだからです。

足るを知りなさい、と言う人がいますが、本当でしょうか。描いたビジョンを見ることで初めて、その物は自分にとって必要か必要じゃないかが分かるのです。欲する感情そのものを否定する必要はありません。描いたビジョンのなかに実現がむずかしそうな

図4-1　ビジョンボード

ものが出てきたら、なぜ自分はそれを欲しているのか、何がどうなれば叶ったと言えるのかを詳しく掘り下げてみましょう。

ビジョンボードは、1人で作って1人で眺めるよりも、ぜひグループでシェアすることをお勧めします。「夢は知識」だからです。ほかの人のビジョンボードを見ることは、「私もこんな素敵なところに行ってみたい」「こんな素敵なもの私もぜひほしい」と、知らないものを知ることのきっかけにもなります。そこで好みが似ていたり、共通項があれば、その人と親しくなって、夢を一緒に叶える仲間になるかもしれません。

脳に未来を経験させるために、ビジョンボードと合わせてお勧めの方法があります。

それは、すでに夢が叶ったかのように、手に入れたかのように、先に予祝することです。

夢が叶うスピードが加速しますよ！

常に興味を持ったり、意識していれば、そのことにアンテナが立ち、自然と情報が入ってきたりします。これは「引き寄せの法則」とも言います。

ぜひ、素敵なビジョンボードを作ってみてください。

第4章
まとめ

1. 子どもの好奇心にフタをしないために、子どもからの質問には、知識を教えるのではなく、調べ方を教えよう。

2. 「指示に従ったことに対して褒める」教育から、「自分で考えて行動したことを褒める」教育に変えていこう。

3. 脳は痛みを避けて、快楽を得る。嫌なことも、喜びや楽しさに変換させてみよう。

4. 潜在意識レベルの問題（原因）を知り、悩みを解決しよう。

5. あなたは、あなたの人生の主人公。すべてを決める権利を持つ。

6. 習慣を身に付けるためには「強制力」が有効である。

第5章

交渉がうまくいかないのは質問が不十分だから

質問のクオリティによって得られる結果が変わる

ジョージ

いきなりですが、「質問」とは何でしょうか？　あなたは質問の定義について考えたことはありますか？

ちなみに僕は、Martha先生（以下マーサ先生）からユダヤの教えを学ぶまで、深く考えたことがありませんでした。

辞書（『精選版　日本国語大辞典』小学館）によると、質問とは「分からないことや知りたいことを問いただすこと」とされています。

一方、ユダヤの格言には、「質問力が人生を180度変える」という言葉があります。

「質問で人生が変わる？　そんなことで人生が変わるなら苦労しない」と思われた方もいるかもしれません。

本当に質問力によって人生は変わるのでしょうか？

では、質問です。

「今、あなたが分からないことや知りたいことは何ですか？」

いきなりそう聞かれて、あなたは何を考えたでしょうか？

優しいあなたは、この質問に答えを出そうと、両腕を組んで、数秒間、宙を見つめて、分からないことや知りたいことについて考えてくれたかもしれません。けれども、あなたはきっと「今のところ、特に思い浮かばない」と思ったのではないでしょうか。

ご安心ください。これは、あなたに問題があるのではありません。僕の質問のほうに問題があるのです。実は、僕はあなたに「仕事」で分からなくて困っていることや知りたいことについて答えてほしかったのですが、僕はその答えを得られませんでした。そう、質問は質が悪いと、得たい答えが得られないのです。

では、少し言葉を付け加えて、

「あなたが仕事で、分からなくて困っていることや、今すぐ知りたいことは何ですか？」

とより具体的に質問されたら、いかがでしょうか。

先ほどより、イメージしやすく、答えやすいのではないでしょうか。

このように質問を具体的にすることで、具体的な答えが返ってきます。より具体的な答えがほしい時は、より質問を具体的にすればいいのです。

あなたは今、仕事で解決したい内容や問いかけたい質問が明確に思い浮かんだと思います。もしかすると敏感な方は、気持ちが重くなったかもしれません。僕が施術している患者さんのなかには、「うわぁ、思い出すと本当に頭痛くなってきました！」とおっしゃる人もいます。投げられた質問に対し、頭が痛くなるほど具体的にイメージできているのです。

質問をしているという行為そのものは同じなのに、どうしてこんなにも受け取り手の反応が違うのでしょうか。

ユダヤの師匠がよく喩えに使われるお話をご紹介します。

「明日、数学のテストがあります」と言われたら、今日、何の科目を勉強しますか？もちろん、数学の勉強をしますよね。では、「明日、テストがあります」と言われたら、あなたは、何の勉強をしますか？　国語、社会、理科、数学、保健体育……、何を勉強していいのか、分かりませんよね。

このように、抽象的な質問には、抽象的な答えが返ってきますし、具体的な質問には、具体的な答えが返ってきます。また、右記のテストの喩え話のように、答えが抽象的なのか、具体的なのかで、行動への移しやすさがまるで変わってきます。

抽象的な質問をされた時は、行動に移しにくく、具体的な時は、行動に移しやすいのです。

質問とは他者から投げられるものだけではありません。人は、自分自身に対して一日中質問し続けているのです。質問の答えが抽象的で、行動に移しにくい日々を生きていく人生と、質問の答えが具体的で、行動に移しやすい日々を生きていく人生。どちらがより良い人生を手に入れられるかは、想像に難くありません。

質問のクオリティ（質）がすなわち人生のクオリティ（質）になるのです。

「あなたは、どちらの人生を歩みたいですか？」

互いのWIN-WINを導くユダヤ式交渉術とは？

ジョージ

あなたは、「交渉」と聞いて、どんなことをイメージしますか？

大手企業が下請けに圧力をかけて、値引きをさせる。口がうまい人やずる賢い人が得をする。どちらかが得をして、どちらかが損をする……。

日本人の僕たちにとって「交渉」という単語には、あまりいいイメージがないように思います。

実際、日常生活にある「交渉」は、一方が得をして、一方が損をするやり取りが多いのが事実です。自分の利益しか考えていない交渉は、頼む側はいいけれど、頼まれる側は、嫌な気持ちになるものです。あなたもそうした交渉事に対し、しょうがなく応じる、もしくは断るといった経験があるのではないでしょうか？

もしもあなたの意見やお願いが、すんなり通って、しかも相手が喜んで応じてくれる「方法」があったなら、あなたは実践したいと思いますか？「そんな都合のいいものがあるのか？」と思われるかもしれませんが、それを可能にするのが、「ユダヤ式交渉術」なのです。

あなたは、物を売った経験はありますか？　お勤め先ででも、ご自身のお店ででも構いません。

ここで質問です。

こちらが結構無理な提案をして、10万円を超える高単価な買い物をしてもらった一度きりのお客さまと、お互いが納得できる提案をして、買い物額は1万円。ただし、毎月

1回コンスタントにお越しいただけるお客さまでは、どちらがよりよいお客さまでしょうか（高単価で毎月1回お越しいただけるお客さまがいらしたら、最高なのですが、今回はその選択肢はなしです）。

なかなか悩む選択肢だと思います。僕も独立当初であれば、この質問に悩んでいたかもしれません。

ユダヤ式交渉術には、目指すゴールがあります。それは、「双方の満足による継続的関係」です。つまり、一方が得をして、一方が損をする長続きしない関係ではなく、双方がWIN-WINの長期的に続く関係を、交渉の目指すべきゴールに設定しているのです。

内容に入る前に、僕がユダヤ式交渉術を使って実現した実例をお伝えしたいと思います。

僕の会社は、株式会社GiVERといって、はりきゅうマッサージ事業と福祉事業を行っています。福祉事業は、障害のあるお子さまをお預かりして療育を行う、児童発達支援と放課後等デイサービスというものを行っています。この福祉事業は、令和４年5月に新規事業としてスタートしました。

福祉事業の特色は、「経験」を重視することです。新型コロナウイルスの影響で、夏祭りを経験したことのない子どものために、市が運営する公園を貸し切り、夏祭りを主催したり、鹿児島ではまだ市民権を得ていないペアレントトレーニングを普及するために、公開講演会を行ったりしています。

「経験の重要性」や「地域とのつながりの重要性」、「ペアレントトレーニング」などを多くの方に知っていただくためには、メディアへの出演や掲載が重要であると考えていました。そのため、イベントや講演会を主催するたびに、各報道機関にプレスリリースを提出しています（プレスリリースの書き方は、本書では扱いません）。もちろん、プレスリリースの内容もユダヤの教えに沿って書かれています。ユダヤの教えを学ぶ前にも、プレスリリースを提出していましたが、反応がまったくなかったのです。

ですが、ユダヤの教えで学んだことを実践してからは、わずか6カ月前後で、地元紙（図5－1）や地元テレビ局に5回ほど取り上げられています。

このメディア出演や掲載の時も、ユダヤ式交渉術を使っています。

メディア出演や掲載が実現したのは、相手のWINと僕のWINを擦り合せ、相手の

図5-1　地元紙 南日本新聞

夏の思い出つくって

鹿児島市荒田2丁目の騎射場公園で、こども夏祭りがあった。親子連れ約50人が訪れ、スイカ割りや輪投げなど、祭りの雰囲気を味わった＝写真。

児童の発達支援活動などに取り組む多機能型事業所「さわやか」が、新型コロナウイルス下でも子どもたちに夏祭りの思い出を作ってもらおうと、初めて企画した。バルーンアートのショーもあり、花や動物の形をした風船ができあがる様子に歓声が上がった。

12日に開催。八幡小学校2年の坂口花成（はな）さんは「かわいい風船をたくさん作ってもらった」とうれしそうだった。

南日本新聞
2022年8月28日

ほめ方、しかり方　個性に合わせて
市内で子育て講演会

「子育てが楽になるほめ方、しかり方」と題した講演会が18日、鹿児島市のサンエールかごしまであった。鹿児島純心女子大学の牟田助教が子育て中の保護者によりよい親子関係を築くためにアドバイスした。

児童の発達支援活動などに取り組む多機能型事業所「さわやか」（荒田2丁目）が、新型コロナウイルス禍で減った子育て相談の機会を設けようと企画。牟田助教は「偉いね」と能力をほめるのではなく、「勉強を頑張ったね」と努力をほめた方が[illegible]と紹介。子どもの個性に合わせたほめ方、しかり方の重要性を説いた。

グループワークでは、参加した父母ら18人が子育ての悩みやわが子のよいところを伝え合った＝写真。2人の子を育てる永山優さん（35）＝鹿児島市吉野町＝は「他の家庭の育児を知るいい機会。さまざまなほめ方を学べた」と話した。（出水晃）

南日本新聞
2022年7月24日

立場になって、交渉することで手に入れた結果です。ユダヤ式自己紹介でも述べましたが、相手は、自分のメリットしか興味がないものです。

そこで、ユダヤ式交渉術で重要なことが、3つあります。

① 自分のほしい結果を明確にする。
② 相手のニーズや解決してほしい困り事を正確に知る。
③ 相手に提供できるメリットを明確にして、お互いがWIN-WINになる提案をする。

書いてしまえば簡単なことのように見えますが、実際にやってみようとするとむずかしいものです。

実例をもとにこの3点を見てみましょう。

① 僕はまず、「当社の活動をメディアに出演したり掲載

されたりすることで、地域の方や子育てに悩む方に知ってもらいたい」という結果を明確に持っていました。

② 僕は、新聞記者さんやテレビ取材のレポーターさんが、「時事ネタ」や「新規性」、「社会性」のある取材ネタを常に探しているという「ニーズ」を知っています。また、取材のネタ探しに奔走されているという「解決してほしい困り事」があることも知っています。

③ 夏祭りの場合：新型コロナウイルスの影響で、夏祭りを経験したことのない子どもや夏祭りを経験させたい親のため（時事ネタ）、一個人の会社が、市の運営する公園を貸し切り、夏祭りを主催しました（新規性）。

地域のつながりを持ってほしいため、参加者は、自社の事業所を利用されている方だけでなく、他事業所を利用されている方、周辺の保育園や幼稚園、周辺にお住まいの地域の方々の参加もOKにしました（社会性）。

ペアレントトレーニングの場合：新型コロナウイルスの影響で、人と人のつながりは分断されて、子育ての相談がしにくい環境になっています（時事ネタ）。アンケート調査の結果[*1]によると、「新型コロナウイルスが生活と育児に影響を与え、特に母親の抑うつ傾向への影響が顕著であった」と報告があり、抑うつ傾向はうつ病になる可能性があり自殺の原因になることもあります。

また、「うつ病の経済損失は約2兆円である」[*2]という報告があります。抑うつ傾向の改善は私生活や経済面の観点から必要と考えています（社会性）。

ペアレントトレーニングは、関東関西などでは市民権を得ていますが、鹿児島では市民権がないので、ペアレントトレーニングを知ってもらい、子育てを楽にしてもらうために、鹿児島純心女子大学　助教（当時）牟田京子氏をお招きして、公開講演会を主催しました（新規性）。

以上、夏祭りとペアレントトレーニングの内容を取材される方のWINになるようにプレスリリースをまとめて、各報道機関に提出しました。

右記の方法は、取材を受けるということに焦点をあてていますが、ほかの場合でも、

図 5-2　プレスリリース

報道機関各位　2022年07月25日

地域を巻き込む夏祭りが8月12に開催されます
～子どもに夏祭りという経験をプレゼント～

出店を提供するてっちゃん家　バルーンアート竹田 [illegible] 氏

暑い日が続いておりますのでくれぐれも健康に留意ください。

今回、騎射場公園で、地域を巻き込む夏祭りを開催することとなりましたのでお知らせします。

最近、新型コロナに対する国の方針が変化しています。岸田総理大臣は「社会経済維持のため濃厚接触者の自宅待機を原則7日から5日に短縮し、2日目と3日目の検査が陰性であれば3日目に待機を解除する方向で調整している」と発表し、厚生労働省では「2m以内でも会話がなければマスクの着用は不要である」という考え方を示しています。また千葉県は「保育所や幼稚園、認定こども園で新型コロナ感染者が出た場合、保健所が園児らの濃厚接触者を特定しない運用に変更した」と発表しています。

鹿児島でも各地で六月灯や3年ぶりのおぎおんさぁが開催され、大きく変わろうとしています。また新型コロナの影響で、夏祭りを知らない子どもたちが増えています。大人が子どもに残せる遺産は「経験」「教育」だと思っています。「子どもたちに夏祭りを経験してもらって人生を楽しいものにして欲しい」。その想いで今回、夏祭りを主催すると決意しました。

今回、賛同いただいた方々の協力で出店やバルーンアートのショーが行われます。また、参加者は当事業所の子どもたちだけではなく、数多くの地域の方々にも参加していただき、夏休みの思い出として、夏祭りを楽しんでいただけたらという想いです。

この催しは8月12日 騎射場公園にて開催します。

夏休みやお盆前でご多忙かと存じますが、この件について取材していただき、報道の力で多くの方にお知らせいただければ幸いです。何卒よろしくお願いいたします。

日　時：2022年8月12日（金）　15：00～16：30（こども夏祭り）
17：00～20：00（おとな夏祭り）
場　所：騎射場公園　鹿児島市荒田2丁目69
参加者：当事業所のご利用者様、周辺地域の幼稚園・保育園およびお住いの方々
主　催：多機能型事業所さわやか
【お問い合わせ先】
名称：多機能型事業所さわやか　担当者：早水丈治(ハヤミズ　ジョウジ)
住所：鹿児島市荒田2丁目70-3キシャバガーデンビル1F
TEL：080-2727-0104　E-mail：inc.giver.sawayaka@gmail.com
（写真や動画など、ご入用の際は、メールにてご連絡ください。）

もし、よろしければ
8月12日（金）15:00～16:30、17：00～20：00に騎射場公園に取材に来てください。

報道各位お知らせ　2022年06月10日

《[公開講演会] 子育てが楽になるほめ方、しかり方》が7月18に開催されます
～保護者様の子育てと鹿児島の経済の改善のために～

講師：和田 京子 氏　よりよい子育てに貢献します

お世話になります。私は伊佐市在住の早水丈治（ハヤミズ　ジョウジ）と申します。
記者様におかれましては、日々の取材活動にお忙しいことと存じます。心身ともにハードなお仕事と伺っております。くれぐれも健康に留意ください。

今回、サンエールかごしまで、鹿児島純心女子大学 助教 和田京子氏をお招きして子育てに悩みを抱える保護者様を対象に公開講演会『子育てが楽になるほめ方、しかり方-ペアレントトレーニングの視点から-』を開催することとなりましたので、お知らせします。

佐々木ら[1](2022)のアンケート調査の結果によると、「新型コロナウイルスが特に育児に影響を与え、母に特異の抑うつ傾向への影響が顕著であった」と報告しています。抑うつ傾向はうつ病になる継続性があり自殺の原因になることもあります。また佐渡氏[2]によると「うつ病の経済損失は約2兆円ある」と報告していることから、抑うつ傾向の改善は私生活や経済面の観点から必要と考えています。

1) 佐々木ら 新型コロナウイルス感染拡大による生活、育児、こどもへの影響 [illegible] Bulletin Vol29, 2022)
2) 佐渡：うつ病による社会的損失はどの程度になるのか？（精神神経学雑誌 第116巻 第2号 P107-115, 2014）

今回、新型コロナウイルスで集まりや相談する機会が減って、子育てに悩む保護者様に向けて、ペアレントトレーニングの視点から子育てが楽になるほめ方、しかり方を伝えて、子育ての悩みを軽減・改善させ、保護者様の私生活や鹿児島の経済を改善させる一助となることが目的です。

この催しは7月18日 サンエールかごしま 3階「[illegible]工房」にて開催します。

参議院選挙後でご多忙かと存じますが、この件について取材していただき、報道の力で多くの方にお知らせいただければ幸いです。何卒よろしくお願いいたします。

日　時：2022年7月18日（月・海の日）14：00～15：30
場　所：サンエールかごしま 3階「[illegible]工房」　鹿児島市荒田1丁目4-1
費　用：500円　[場を和ませるお菓子代と理解を深めるための資料代]
参加者：子育てに悩む保護者様、悩み相談を聴く機会の多い相談支援事業所様
主　催：多機能型事業所さわやか
講　師：和田京子（わた きょうこ）
略　歴：鹿児島純心女子大学 助教、九州ペアレントトレーニング研究所
NPO法人若者・[illegible]サポートステーション[illegible]理事長、鹿児島県男女共同参画審議会委員
後　援：伊佐市、伊佐市教育委員会、伊佐市社協、鹿児島市こども未来局、鹿児島市社協、[illegible]（社福）吉田向陽会、地域子育て支援センター「花」、（一社）SAISEI フォルテ、（社福）ほほえみ会、KKB、MBC、KYT、KTS、エフエム鹿児島、鹿児島シティエフエム、南日本新聞（順不同）
【お問い合わせ先】
名称：多機能型事業所さわやか　担当者：早水丈治(ハヤミズ　ジョウジ)
住所：鹿児島市荒田2丁目70-3キシャバガーデンビル1F
TEL：080-2727-0104　E-mail：inc.giver.sawayaka@gmail.com

もし、よろしければ
7月18日（月）14:00～15:30、サンエールかごしま3階「[illegible]工房」に取材に来てください。

以上の3点が重要になります。

日常的に自分の意見を言う機会の少ない日本人は、交渉事が苦手です。

何も疑わず、相手の言われた通りに支払いをしたり、言われた通り契約したりします。そんな日本人の僕たちが、②「相手のニーズや解決してほしい困り事を正確に知る」（相手のWINを引き出す）ためには、いったいどうすればいいのでしょうか？

それを可能にするスキルが、前述した「質問力」です。交渉の成功率を上げるのは質問力にかかっています。不安な方は質問力のページを読み返してみてください。

交渉力を身に付ける準備ができた方は、このまま読み進めてください。

＊１　「新型コロナウイルス感染拡大による生活、育児、こどもへの影響」（UH CNAS,RINCPC Bulletin Vol29,2022）

＊２　「うつ病による社会的損失はどの程度になるのか？」（精神神経学雑誌　第１１６巻　第２号　P107-115.2014）

相手の WIN を引き出す質問をする

ジョージ

ここでは、前々回と前回の項目からの学びに続き、「質問の質があなたの人生を変える」ことと「互いの WIN-WIN を導くユダヤ式交渉術とは？」の関係性についてお伝えします。

さて、前の項目を読まれて、いかがでしたでしょうか。交渉をやってみようと思われた方、実際に交渉をやってみた方、交渉が苦手な方、そうでもない方など、さまざまだと思います。

「私は交渉には向かない」「私にはできない」「やったことがない」などと困っている方がいらっしゃると思いますので、ここでは「質問力」と「ユダヤ式交渉術」の関係をお伝えします。

前項で、ユダヤ式交渉術で重要なこと3つをお伝えしました。

①自分のほしい結果を明確にする。

②相手のニーズや解決してほしい困り事を正確に知る。

③相手に提供できるメリットを明確にして、お互いがWIN-WINになる提案をする。

ここでは、あなたが、①「自分のほしい結果」を明確にしたとして話を進めていきます。ほしい結果を明確にして、あなたは、「いざ！ 交渉」という気持ちで、あなたのなかで、相手のメリットだと思うことを提示します。ですが、相手はあなたが提示したメリットを気に入らず、なかなかうまく交渉が進みません。交渉は保留、決裂、もしくは最悪の場合、あなたは相手に嫌われてしまうかもしれません。

こういうことは、僕の周りでよく起こっています。なぜ、このようなことが起こるのでしょうか？ あなたが、お金を持っていないから？ あなたが、専門的なスキルを持っていないから？　あなたが、何の価値もない人間だから？

ご安心ください。相手のメリットを提示する際には、お金持ちである必要もないですし、物をたくさん持っている必要もありません。そして、僕やあなたを含め、この世に価値がない人なんていません。

では、なぜ素晴らしい価値を持ったあなたの交渉が、うまく進まないのでしょうか？

その大きな要因は、「リサーチ不足」であることがほとんどです。

「リサーチ不足」というのは、簡単に言えば、相手への質問が足りず、相手の本当に困っていること、解決したいことなどの情報があなたの手元にない状態ということです。

相手の情報がないと、人は自分の知識や経験のなかで、その足らない部分を補完しようとします。ここが、相手と交渉する時に、あなたと相手のズレを生んでしまいます。

例えば、あなたに気になる異性がいたとします。あなたは動物が好きで、特に猫が大好きだったとしましょう。

ある日、あなたは気になる相手との会話で、相手が動物が好きで、住んでいるマンションではペットが飼えなくて、動物とふれあいたいという情報を手に入れました（リサーチ）。あなたは、「動物が好きなら、猫も好きなはずだから、猫カフェにデートに誘ってみよう」（補完）と行動を起こすことにしました。あなたは気になる相手に、「今度のお休みの日に、猫カフェに行きませんか？　一人で行くの恥ずかしくって」と、相手に伝えました（交渉）。ですが、気になる異性から返ってきた答えは、「ごめん、猫だけは嫌いなんだ。また、誘ってね」（交渉失敗）でした。

この例ですと、相手が動物が好きだという情報は、あなたの質問によって引き出せました。ですが、「どんな動物が好きなのか？」「苦手な動物はいるのか？」などの質問が不足していたため、あなたの頭のなかで勝手に「動物好き＝猫も好き」と決めつけていました。このことが、気になる相手へのオファーにズレを生じさせ、デートの誘いが失敗してしまったのです。

もしも事前に「特にどんな動物が好きですか？」と質問していたなら、この交渉の成功率は上がっていたことでしょう。

そう、交渉の成功率は、質問力に比例するのです。質問力が低ければ、交渉は通りにくいですし、相手に嫌われる可能性もあります。質問力が高ければ、交渉はスムーズにいき、相手に好感を持たれる可能性があります。

こちらのほしい結果を手に入れて、さらに、相手はあなたを嫌がるどころか、あなたに感謝の気持ちや好感を抱いてくれます。この関係こそが、交渉で目指すべき目標（ゴール）なのです。

質問力のためには、コミュニケーション能力が必要です。コミュニケーション能力、なかでも相手の話を「深く聴く力＝傾聴力」が欠かせません。

相手に喜ばれる交渉は、

①質問力を駆使して、相手の悩みや解決したいこと（WIN）を正確に捉え、

②相手とズレが生じないように相手の悩みや解決したいこと（WIN）を簡潔にまとめて、復唱し、

③補足が必要な場合はその点についてさらに質問、復唱する

というステップです。

交渉がうまくいかない時は、どこかの段階で躓いている可能性があります。

今、どの段階で躓いているのかを知り、トライ・アンド・エラーを繰り返すことで、気付いた時には、相手に喜ばれる交渉ができるようになっているでしょう。

2つの問題を同じ土俵に乗せてはならない

ピンクたん

みなさん、こんな経験はないでしょうか？　仲間と親睦を深めるため、連休を取って、慰安旅行に行く計画をしています。

どこに行くか？　移動手段は何にするのか？　何泊するのか？　何を食べようか？　どこに泊まるのか？　予算はいくらにするのか？

さまざまなことを決めていくうえで、みんなの意見を聞いていると、全然まとまらなく、何度も決めたことを変更しては、その都度、プランの練り直しを迫られます。次第に考えるのが面倒くさくなってきて、楽しみであった旅行のはずが、計画の段階で疲れ切ってしまった、なんてことです。

夫婦や恋人、２人だけの旅行でも話が進まず、ケンカになってしまって、楽しみだったはずの旅行も行きたくなくなった……。もはや親睦を深めるどころではありません。

話が暗礁に乗り上げてしまって進まないということは、日常生活においても、ビジネスシーンにおいてもよく起こることですが、これらを解決してくれる方法が、ユダヤの教えのなかにはあるのです。

当事者は気付いていないかもしれませんが、話が進まない時は、必ずといっていいほど、複数の問題を同時に議論しています。

先ほどの旅行の計画の例ですと、行き先の選択肢がいくつもあり、それに合わせた移動手段の選択肢も複数あり、ホテル選びも、一流ホテルからビジネスホテル、民泊まで複数の選択肢があります。それぞれの選択肢のなかから1つを決定していく必要があるのですが、多くの人が1つを決定していく際にやりがちなのが、これから決める複数の事柄も、すでに決めたことも、いろいろなことをごちゃ混ぜにしながら話を進めてしまうことです。「やっぱり飛行機だと早く着くけど、空港までの移動が大変だし、お金もかかるし」といった具合です。

ユダヤの教えでは、まず「一番大切なこと、優先すべきことを最初に決定する」と教えられます。

先ほどの旅行で喩えるなら、まず最初に旅の目的と目的地を決めます。次に、ゴールである目的地にたどり着くための手段を決めていきます。早くたどり着きたければ、飛行機や電車。ゆっくり時間をかけて移動も楽しむなら、サイクリングという選択肢もあるかもしれません。そして、移動手段を決めたら、さらにその先を決めていきます。飛行機であれば、航空会社を決めたりといった具合です。

優先順位は人それぞれなので、予算を優先させる場合は、最初の段階で予算を決めていくといいかもしれませんね。

こうして問題を一つひとつ解決していきますが、一度決めた決定事項については、くつがえさないように心がけていくことが大切です。そうすることで、計画もスピーディーになり、何度もぶり返して迷うことも、決定した以外のこと（必要のないこと）を調べる時間も省くことができます（飛行機に決めたら、電車のダイヤやレンタカーなどの話はせず、航空会社の決定についてだけ話し合います）。

本来の目的である、仲間と親睦を深めるための旅行が素晴らしいものになるように、目的に合わせ取って順位をつけ、物事を順よく決定していくことが大切なのです。

旅行を例に取って話をしていきましたが、ビジネスシーンにおいても、あなた自身の人生においても、選択すべき課題は常に発生し、その都度、複数の選択肢のなかから選び抜いていく必要があります。

そんな時に、いつも思い出してほしいことが、「２つの問題を同じ土俵に乗せてはならない」という教えなのです。複数の問題を一緒に考えているうちは、問題は解決しません。そればかりか、新たな迷いや問題が生じることも多く、いつまでたっても話が先に進まないことにもなりかねません。

あなたにとってベストな選択をし、ベストな結果を導いていくためには、

①まず目的を明確にする。

②その目的を達成するための優先順位を設定し、１つの問題に対して１つ決定を下す。

③１つ目の決定事項を前提に、次の問題に対して決定を下す。

という順番が大切なのです。

いっぺんに全部を解決しようとせず、問題は一つひとつ解決していく。これこそが、早く的確に決断していくための道すじなのです。

質問すれば、脳は答えを考え始める

ピンクたん

子どもと出かけると、よくこんなシチュエーションに鉢合わせします。

1つのブランコに2人の子が乗りたがっているのです。こんな時、あなたなら、その子どもたちに何と言うでしょうか？

「10数えたら代わってあげようね！」「ブランコは1つしかないから、順番にしようね！」

なんて平和的な解決！　保育園でも、家庭でも当然のように見られる光景ですよね。

しかし、この「順番」という方法、一見、一番良い解決法のように思われますが、果たして子どもにとって、最善の方法と言えるのでしょうか？　果たして、子どもの意思は尊重されているのでしょうか？

ハッとされた方もいるかもしれませんが、「順番にしようね」というのは、子どもの意思ではありません。親の意思です。

日本の学校教育では、大人の指示を聞いて、それに従うことが優良とされがちです。こうした教育を受けて育った子どもたちは、指示に従うのは得意です。しかし、大人になると、指示がないと動けなくなってしまうのです。つまり、自分の意思を持たない、「自分がない大人」になってしまうのです。よく聞く「指示待ち人間」がまさにその典型です。

では、ユダヤの親たちは、先ほどのブランコが1つしかない状況で、子どもたちに何と声をかけるのでしょうか？

「〇〇ちゃんは、どうしてブランコで遊びたいの？」「〇〇君は、どうしてブランコで遊びたいの？」と、2人の意思を確認し、「そうか、2人ともブランコで遊びたいんだね。でも、ブランコは1つしかないね。どうしたらいいかなぁ？」などと子どもに問います。

その結果、もしかすると、親としてはビックリな方法も飛び出すかもしれません。

「じゃあ、僕、ブランコ乗りたいから、〇〇ちゃんにおやつをあげる」と言うかもしれないし、「じゃあ、貸してあげるよ。私は滑り台に行くね」という話になるかもしれません。子どもから、「じゃあ順番にしようか！」という答えも出るかもしれません。

いずれを選択したとしても、これらは子どもが考えた決断です。話し合いの結果が同じ「順番にしよう」という選択であったとしても、それは子どもの意思です。

子どもに質問し、考えさせることこそがとても大切なのです。親の指示に従わせるのではありません。子どもが自分の意見を発して、お互いに納得のうえで選択することによって、いずれ自分の意思で行動できるように育っていくのです。

子どもに「どうしたいか？」を考えさせることは、とても大切なことです。

私が、４歳の娘に、実際にやっていることとしては、とても簡単なことですが、お出かけする時には、自分が着る服は子ども自身に選んでもらっています。

「ちょっとこの組み合わせは変だな？」と思うこともありますが、子どもの選択を尊重して、親が否定しないことで、子どもが自分の意見を言いやすい環境を作っています。

子どもの様子はどうかというと、親が決めた服を着た時より、自分で選んだ服を着たほうが、子ども自身納得して、満足しているようです。「可愛いでしょ！」と言って、クルクル回ったりします。

些細なことですが、子ども自らが考えたり、子ども自身に選択させることの大切さを感じています。

第５章 まとめ

①
質問力であなたの人生は１８０度変わる。

②
ユダヤ式交渉術で、お互いがＷＩＮ-ＷＩＮになる。

③
選択するべき事項が複数ある場合は、目的を立て、優先順位を設定し、一つひとつ順番に解決しよう。

④
子どもには質問し、考えさせることが大切。いずれ自分の意思で行動できるよう育っていく。

第6章

無から有を生み出す力

日本人はお金について知らないまま大人になる

ピンクたん

学生時代、あなたは学校で、たくさんの勉強をしてきたことでしょう。けれども学校で、お金について学んだことはあったでしょうか？

学校以外も思い描いてみてください。あなたは子どもの頃、家庭のなかで、親や祖父母から、お金について学んだことがあったでしょうか？

実際、日本人にとって、この質問の答えはＮＯが多くを占めます。多くの日本人が、お金について学ぶ機会を持たないまま、社会に出て働いているのです。

日本の金融リテラシーの低さは、世界的に見てかなりの低水準であり、社会に出る以前に金融の基礎の知識を教わらないという人が大多数を占めているといわれています。

こうした事態を受け、２０２２年４月から、日本もようやく高校の家庭科にお金の授業が導入されることになりました。しかし、いまだ金融教育が遅れていることに変わりはありません。

一方、ユダヤ民族に限らず海外では、学校教育のなかで投資の勉強が行われていたり、家庭でも日常的にお金について教えているなど、お金に対する教育は当たり前に行われています。

なぜ、日本では、お金について学ぶ機会がほとんど提供されないのでしょうか。次の質問を考えてみてください。

「あなたは、『お金持ち』と聞いて、どんなイメージを持ちますか？」

漠然と、悪い人をイメージされた方も多いのではないでしょうか。

事実、日本の昔話には、お金持ちは「欲深い悪人」であるという前提で物語が作られている話や、お金に欲を出した人に罰があたったり、散々な結末になるという話が多くあります。こうした日本人に共通するお金に関するイメージがきっかけで、「お金は悪」というイメージを持って育った方も多いのではないでしょうか。

また、「お金が人格を変えてしまう」など、お金を持つことへの嫌悪感を示す方も多いと思いますが、こうした嫌悪感もまた植え付けられたものです。

親が「お金は汚い、怖い」というイメージを持っていると、その親は子どもへあまりお金の話をしたがらなくなります。

会話のなかで、子どもに「お金よりも大切なものがある」と教えるケースも見聞きします。確かにそれも大切な教えではありますが、だからといって「お金は悪いものだ」と教えられて育ち、なおかつ親自身がお金にマイナスなイメージを持っていると、その子は同じ言い回しで、「お金なんかよりも大切なものがある」と、知らず知らずのうちに、お金に否定的な気持ちを載せて発言するようになってしまう場合もあるかもしれません。

また、子どもを、なるべくお金稼ぎに染めたくないという気持ちから、お金と子どもを引き離そうと考える親もいます。それでも親が子どもの面倒を見ていられる間はまだ良いのですが、突然子どもが一人残されてしまったなら、どうでしょうか？

実際、子ども自身はいずれ、お金を使って生きていかなければなりません。お金の教育を避けてばかりいては、子どもが路頭に迷ってしまうかもしれません。

どんなにお金にマイナスなイメージを持っている親であっても、お金は生きていくためになくてはならないものであると分かっているはずです。

将来に何が起こるかは誰も分かりません。大切なわが子が、将来一人でも生きていけるようにするために、幼い頃から、お金に対してしっかりと正しい知識を教えていくことは、とても大切なことなのです。

この世界は自分が見たいように見ている（ＲＡＳのメカニズム）

ピンクたん

みなさんは、「引き寄せの法則」を知っているでしょうか？

「網様体賦活系（Reticular Activating System ＝ＲＡＳ）」という脳の仕組みはご存じでしょうか？

「引き寄せの法則」は知っていても、「ＲＡＳ」は初めて聞いた方も多いかもしれません。

ＲＡＳとは、「目に入ったもの全部ではなく、必要なものだけを認識していく」という脳の仕組みです。目に入る情報をすべて覚えていたいと思う人もいるかもしれませんが、脳は目に入る情報をすべて覚えていたら、パンクしてしまいます。ですから、この機能は生きるために備わった機能ともいえます。

分かりやすく説明するために、次にこんな実験をペアになって一緒にやってみましょう。できるだけ、単調な景色でないところで試してください。

①目の前にある赤色のものの数を数えてください。
②目をつぶってください。では質問をします。
③青色のものはいくつありましたか?
④目を開けてください。

さて、目を開けてみると、頭のなかの記憶で、青色のものを思い浮かべた数より、実際は、実に多くの青があることに驚いたのではないでしょうか。

これは、RASのシステムの働きによるものです。直前に「赤色のものの数を数えてください」と言われたことで、赤色の情報を選び取るとともに、赤色以外の情報を認識しないという作用が働くのです。

RASのシステムは、無意識のなかでも常に働いています。無意識のうちにフォーカスすべきものをフィルターを通して選んでいるのです。

同じ出来事が起きても、それを幸せと捉える人と不幸と捉える人が存在します。これも、実はRASの働きによるもので、見ている世界が同じでも、自分がうれしいと感じる情報をフォーカスして選ぶ人もいれば、悲しいと感じる情報をフォーカスして選ぶ人もいるのです。

最近は、自己肯定感の低さに悩む人が増えていますが、自己肯定感の低さに悩んでいる人は、無意識的に、他人と比べたり、自分の足りないものにフォーカスし、自分は価値のない人間だと思い込んだり、自分の価値を下げるような情報を自ら取得しています。

逆に自己肯定感の高い人は、そもそも自己肯定感が下がるような情報を排除しているのです。

出来事そのものに良いも悪いもありません。起こった出来事をどう意味付けするかだけなのです。では、良い意味付けができる人と、悪く捉える人との違いは何でしょう。何かが起きた時に、どういう感情を選択しやすいかというのは、過去の経験と密接に関係しています。

出来事が起こった時に、その出来事に関連付ける感情は選べます。この「感情の道具箱」の原則については、第８章で詳述します（Ｐ２３２参照）。

では、その感情はいったい、どこから湧いてくるのでしょうか。それらは、過去にあなたが体感してきた経験と結び付けられた感情が湧いてきたものではないでしょうか。

過去にある出来事が起き、その時、マイナスな感情を抱いた人が、同じようなシチュエーションに出くわすと、過去の体験に関連付けられて、その時と同じようなマイナスの感情を選んでしまいがちなのです。

それまで何度も失敗を経験した人は、「また今回もダメかもしれない」という感情になり、その結果、何度も失敗するという現実を引き寄せてしまいます。

無意識のレベルで、失敗に導く要素を、知らず知らずのうちに集めてしまうのです。まさに、負のスパイラルですね。

これが「引き寄せの法則」のカラクリです。無意識レベルでＲＡＳが働き、同じ考え方の人や、同じ状況の人、同じ波動の人が、良くも悪くも集まってくるのです。

さて、もしも負のスパイラルに陥ってしまった時は、どうすればよいのでしょうか。

今まで繰り返し感じてきたマイナスな感情を感じないようにするための一つとして、それまでとは違う経験をすることで感情を上書きする方法があります。

例えば、２人で旅行に行くと毎回パートナーと喧嘩してしまうという状態が続けば、「旅行なんて行きたくない」「もう旅行の話もしたくない」と思うようになってきます。

しかし、２人ではなく大人数で旅行へ行ってみて、パートナーと喧嘩しないで旅行することを心がけた結果、素晴らしい景色を見て、心から感動して、パートナーとも感動の共有ができたとなれば、感情の上書きができ、次は2人で行っても楽しいかもしれないと思うかもしれません。今までと違う方法を考え、試みてみることで感情の上書きができるのです。

ビジネスにおいて、たくさんある情報のなかから、自分でも気付かぬうちに失敗するものばかりを選んでしまったり、自分はビジネスに向いてないと落ち込んでしまう人がいます。もし、自分はあてはまるかもしれないと思われたなら、その時は、自分なりの選び方や、やり方に執着せず、成功している人の選び方ややり方を真似してみることで、過去の自分のイメージを上書きすると良いかもしれません。

感情は、自分で決めて選ぶことができるのです。自分にとってプラスになる感情を自由に結び付けていいのです。

人には過去の経験や、自分の考え方の癖によって、どうしても持ちやすい「感情のホーム」があります。些細なことで落ち込んだりイライラしたり、それが自分の望まないホームである時には、新しい方法を考え試し、今までにない新しい経験をすることで過去の経験を上書きしていくことが大切です。

それによって、自分の感じたい感情を次第に持てるようになってくるのです。

気付かぬうちに陥っている「マネーブロック」

ジョージ

いくらセミナーを受けても目に見える効果が得られない。こんな経験はありませんか？

今回のセミナーは自分に合わなかったんだと思って、ほかのセミナーを受講して、そのセミナーも目に見えた効果は得られずに、またほかのセミナーを受講する。そんなことを繰り返す人を「セミナー難民」と呼ぶのだそうです。

効果が出ないのは、セミナーの内容が悪かったからでしょうか？　その可能性もないわけではありませんが、受講したにもかかわらず、目に見える効果、売上や収入、成績が上がらないのは、ほかに要因があるからかもしれません。

あなたは「マネーブロック」という言葉を聞いたことがありますか？　このマネーブロックとは、あなたが無意識に持っているお金に対する抵抗感や嫌悪感のことです。

「お金のことが嫌い？　そんなわけがない」

そう思われた方がいらっしゃるかもしれません。ですが、こういう自覚のない方が、マネーブロックの影響を一番受けています。なぜ、そこまで言い切れるかというと、この項を書いている僕ジョージも、マネーブロックの存在を知らず、かなり影響を受けていた経験を持つからです。

分かりやすく説明するために、仮に、あなたの給料は月20万円、銀行口座には10万円の貯金があったと仮定しましょう。

マネーブロックには、下限閾値（かげんしきいち）と上限閾値（じょうげんしきいち）の2種類が存在します。この2種類は、無意識下のものなので、目には見えません（見えたら、いいのですが）。

下限閾値とは、これ以上、口座のお金（手持ちのお金）が減ったらやばい、そわそわする、といった精神状態になるラインになります。

例えばですが、あなたの下限閾値が2万円だったとしたら、口座の中身が、10万円の時は特に何とも思いません。何か買い物をして、口座の残りが3万円になっても、まだそこまで気にしたりはしません。ですが、口座の残りが1万8千円になったら、あなたはどういう気持ちになるでしょうか？　そわそわ、モヤモヤし始め、そろそろ、本当にやばいんじゃないかという気持ちになり、仕事を増やしたほうがいいのか、残業を増やしたほうがいいのか、休日に出勤したほうがいいのか、出費を減らしたほうがいいのかなどと考え、下限閾値の2万円を超えるように、あらゆる行動をします。

反対に、上限閾値とは、お金が一定以上増えたら、そわそわし、居心地が悪くなるラインのことです。あなたの給料が月20万円だったものが、ある日、急に月100万円に上がったとしましょう。そうするとあなたはこう思うかもしれません。

「あー、保険料や税金が増えちゃうよ」「家族や友人にたかられるかもしれない」「私の技術でこんな大金もらうわけにはいかない」「誰かに狙われたらどうしよう」

一見すると、もらえるお金が増えるのだから、心地いいように思いがちですが、人は所有するお金が一定額を下回っても、一定額を上回っても、どちらも居心地が悪くなるのです。

このマネーブロックの上限閾値と下限閾値の間が、あなたにとって居心地のいいお金の範囲、いわゆる「コンフォートゾーン」と呼ばれるものです。人はこのコンフォートゾーンにいたいので、無意識のうちに、元の落ち着く居心地のいい金額（ここでは月20万円、口座残高10万円）に戻ろうとします。これが「マネーブロック」です。

このマネーブロックがある限り、セミナーや学びの実践が効果を出すことはむずかしいのです。反対に言うと、このマネーブロックを外すことが、あなたの今まで学んできたことを存分に発揮させる方法の一つなのです。

マネーブロックを解除する方法はあるのでしょうか？　ご安心ください。あります。しかも、誰でも実行可能な方法です。

僕がユダヤの教えで学んだ方法は、「一流に触れる体験をする」ことでした。

ほかにも方法があるのですが、この方法が一番、簡単で気軽に始められるといわれています。

あなたがまだ知らない一流の世界に触れることで、あなたの向上心や目標が高まり、今までにはなかった大きな未来像を描けるようになります。この時に、お金の上限閾値が拡大するのです。「一流」には、高級ホテル、高級レストラン、ブランドもの、一流の教育、一流の美術、一流の音楽、車などさまざまな種類があります。

マネーブロックを解除する近道は、経済的に豊かな方の環境、時間の使い方、発想、発言に触れることです。これは、僕がユダヤの師匠に学んだことです。確かに、業界で成功している方の考え方や行動を真似することで、自分では出せない成果を発揮する経験を僕自身しています。

イメージしやすいように、僕が実際に、ユダヤの教えオンライン講座の宿題で行った内容をシェアしたいと思います。

僕は家内と鹿児島の老舗ホテル2カ所に行き、ディナーを経験しました。雰囲気やスタッフの立ち居振る舞い、料理の飾り付けなど、さまざまな刺激を受けました。

老舗ホテルに行くような余裕はないよ、と思われた方もご安心ください。一流の体験は、必ずしも、高いお金を支払わなければできないものではありません。日本の伝統工芸品や有名芸術家の絵を観に行くことも、一流の体験です。

ちなみに、僕の住む鹿児島の伝統工芸品に、「薩摩切子」というガラス細工があるのですが、その作品を無料で観ることのできるお店があります。僕は、その「薩摩切子」をただ眺めに行って、一流の工芸品に触れてきました。

あなたの思う一流はなんですか?

どの分野でも構いません。ぜひ、時間をかけて、思い浮かべて、その一流の体験を実行してみてください。

ほかにも、僕が上限閾値を上げていくために毎月行っていることがあります。それが、「寄付」です。当社は、「毎月チャリティー」と題して患者さまや利用者さまの「ありが

図6-1　地元紙 南日本新聞

南日本新聞
2021年4月4日

南日本新聞
2021年7月28日

南日本新聞
2021年1月18日

とう・笑顔・元気」の証である売上の一部を、お世話になった団体のなかから毎月1団体に寄付しています。

この活動の発端は、僕の恩師であるマーサ先生のアドバイスです。マーサ先生のアドバイスとは、「額を決めるのではなく、売上の数パーセントと決めて、寄付したほうがいい。売上が上がれば上がるほど、社会貢献になるので、お金の上限閾値が上がる」というものでした。それ以来、「額」ではなく、「割合」で寄付しています。ですから、売上が上がれば、自ずと寄付する金額が増えていきます。

この活動で、僕のお金に対する上限閾値は、かなり引き上げられたと実感しています。

以前の僕は、「これくらいお金があればいいや」と思っていましたが、売上が上がれば上がるだけ、社会貢献になるという気持ちになった途端、「これくらいでいいや」と思わなくなっていきました。

僕は寄付文化が世の中に広がればいいと思っています。

僕は周りから、「寄付はしたいけど、やり方が分からないし、寄付先をどうすればいいのかも分からない。どうやって寄付先を決めているの？」と、寄付先を選出する時の条件をよく尋ねられます。僕のケースを次に記します。

①僕自身、当社、当社スタッフがお世話になっている団体

②社会性が高い団体

③その団体の理念、方針に賛同できる

この3つの条件を満たすところに、寄付をさせていただいています。

この寄付に関しては、一流の体験と言っていいか分かりませんが、マネーブロックを解除するには大きな効果があると感じています。

あなたも、今までの学びや経験を存分に発揮するために、一流に触れて、マネーブロックを解除していきましょう。大丈夫、あなたならできます。

１億円あたった人の１年後の未来とは？

マサ

宝くじにあたって、１億円が入ってきたら、あなたはどうしますか？　寄付しますか？　家や不動産を買いますか？　貯金しますか？　投資しますか？

人は、突然使い道のないお金が入ってくると浪費したり、自分をコントロールできなくなったり、周囲の嫉妬の念を買って思わぬ事件や災難に見舞われたりすることがあります。もちろん、お金を賢く使って自分の人生を豊かにする人もいます。しかし、実際に宝くじがあたった人の調査データでは、その多くは、転落人生を送っています。なぜ、そのようなことになるのでしょうか？

すでにお伝えした通り、「人は上限閾値を超えると、コンフォートゾーンに戻ってしまう」という原則があります。お金の閾値とは、自分にとって慣れ親しんだ金額のことです。お金のコンフォートゾーンは、居心地がいいのです。

だから、人は短期間に元の閾値に戻ってしまうのです。これがマネーブロックなのです。

私自身、マネーブロックがかかっていました。

レストランに入ってメニューを見て、何を食べるか決める時、あなたはどのように決めますか？「美味しそうだなぁ」「食べたいなぁ」と思ったら、価格を見ずに即決しますか？

私はというと、どうしても価格重視になってしまいます。美味しそうでも、「高いからやめておこうかなぁ」と考えて、美味しそうで価格も高くない別のものを選びます。また、人にご馳走になる時は、その方がオーダーしたものの価格と同じか、それよりも安いものに決めます。人にお金を使わせるのは悪いと思うからです。

こうした配慮はマナーや思いやりとしては正しいのかもしれませんが、視点を変えてみると、お相手の、美味しいものをご馳走してあげたいという気持ちに対しては失礼にあたるのかもしれません。ここで言っているのは、価格を気にせずオーダーしなさいということではありません。思考と行動のパターンにブロックがかかって、その一択、その基準でしか決断できなくなっていませんか？　と問いかけたいのです。

私は仕事でアクセサリーの販売をしています。アクセサリーを買っていただくわけですから、お金をいただくのは当然のことなのですが、相手にお金を使わせるのは悪いという気持ちになり、原価ぎりぎりまで価格を下げてしまうのです。お客さまには喜んでいただけるのですが、これでは商売になりません。

このような変なマネーブロックを持っていました。

アメリカのラスベガスで、ユダヤの教えの学びのための実践として、ゼロからお金を作るワークをやらせていただいた時の話です。

財布やパスポートを没収されて、身一つで誰も知らないラスベガスで外に出て、ゼロからお金を作る、という課題を与えられました。さて、何をしたらお金を作ることができるのでしょうか？　ノートは持っていましたので、破って鶴を折りました。しかし、ノートの折鶴など誰も買ってくれません。うちわを一つ持っていましたので、それを差し出してみましたが、誰も受け取りません。これも失敗です。「お金ください」と手を差し出してお辞儀をしましたが、これも失敗です。

最後に、カップルに、「写真を撮って差し上げます」と声をかけて、いろいろな角度から写真を撮ってあげて、「チップをください」と言いました。カップルは「オフコース」と言って、笑顔で１ドルを差し出してくれました。「サンキュー！」と言って、１ドルをもらった時に、「相手が喜んでくださるお金は貰っても良いのだ」と気付きました。

相手に提供したことに対し、「ありがとう」という気持ちで差し出してくださるお金ならば、素直にいただいて良いのだと思ったのです。

それからというもの、私は相手が望むことをして差し上げた時に、お金をいただくのは当然のことと思え、感謝の気持ちで受け取れるようになったのです。

お金の本質

ピンクたん

みなさんに聞きます。お金の本質とは何だと思いますか？
考えたことも意識したこともなかったという方が、ほとんどではないでしょうか。
お金の本質を知り、それを理解するには、まずお金の成り立ちを知る必要があります。
お金自体は、現在はペラペラの紙切れです。けれど、その価値はすごくて、ペラペラ数枚で、家族全員の食料が買えたりします。海外にも行けます。海外に行くと、また違うペラペラの紙の種類があったりします。はたまた、一生懸命働いてもらう対価もペラペラの紙です。よく考えると、こんなペラペラの紙がすごい価値を持っているというのは、不思議なことですよね。個人的には、金属である硬貨のほうが物質としての価値は高いように思えてしまいます。

しかし、キャッシュレス時代に突入し、今やお金は紙や硬貨ですらなくなりつつあります。目に見えないデジタル情報にその姿を変えたのです。現代には、暗号通貨も存在します。私達は、目に見えないお金という名のデジタル情報を行ったり来たりさせることで、生活できるようになってきています。

目に見えないお金で物が買えるというのは、考えてみたらますます不思議ですよね。お金のフォルムは物質（紙・金属）からデジタル情報に進化を遂げつつあるわけですが、どうしてこのような不思議なことが実現できるようになったのでしょうか？

その答えを知るには、お金の成り立ちを遡って考えていく必要があります。

はるか昔、お金という概念のない頃、人々は物と物を交換する「物々交換」をしながら暮らしていました。山の民は海の民と出会い、食料を交換したり、衣服と食料を交換したり。次第に、そうやって物々交換をしていくなかで、「今は交換できる物は持ってないけど、次に来る時に持ってくる」ということが生じるようになり、物との引き換えに、同等の価値を付けた石との交換が始まりました。

物と物の交換の際に、同等の価値を付けた石を使って取引を始めたと言いましたが、当時の人の気持ちを考えてみると、こちらは大切な物を渡しているのに、それと価値のよく分からない石とを交換することに、不安もあったと考えられます。

この時、交わされたのが、「同等の価値のある物と次回必ず交換します」という約束です。

その約束を守ることによって「信用」が生まれます。信用が生まれれば、また次にほしい物があった時、前回約束を守ってくれたから大丈夫だろうと思われて、また石と引き換えに商品を買うことができるようになるのです。

いつのまにか、この価値を載せた石をみんなが使うようになり、価値が確立されると、どこでも、誰とでも石を使って取引ができるようになっていきました。

それが可能になったのは、この石に目に見えない「信用」が載っていたためです。

この石の代わりが、現在の紙幣になったので、紙幣になっても、目に見えない「信用」が載っているのです。つまり、お金の本質とは「信用」そのものであり、信用を目に見える形にしたものが紙幣なのです。ちなみに、この人類初めての紙幣を作ったのはユダヤ人です。

お金の本質が信用であることの例をご紹介しましょう。

例えば、あなたが銀行でお金を借りたいとします。けれど、お金を返せないだろうと思える人に、銀行はお金を貸してはくれません。銀行がお金を貸してくれるのは、①いついつまでにあなたが返済できると判断した時、②前回、期限を守って返済してくれた実績があった時のいずれかです。つまり、銀行はあなたに信用がある時に、お金を貸してくれるのです。

クレジットカードも同様です。信用がなければ、カードを発行できません。お金とは信用を形に変えたものだからです。

信用の姿を変えたものがお金であるのなら、お金を稼ぎたいと思った時には、何を大切にしていけば良いでしょうか。そう、お金ですね。あなたに信用がなければ、お金も入ってきません。たとえ一時的に多くのお金が入ってくることがあっても、そこに留まることはなく、いつのまにかなくなってしまいます。一方、あなたがたくさんの人から信用されれば、お金もたくさん集まってくるのです。

もしも今、あなたがお金に困っているのなら、周りからの信用を得ること、信用の貯金をすることから始めましょう。

信用は、約束を守ることで得ることができます。ぜひ、約束を作ってでも、約束を交わして守り、信用貯金をたくさん集めてくださいね。続けていくと、次第に周りからたくさんありがとうの言葉をいただけるようになっていきます。

実は、この感謝の言葉「ありがとう」の対価こそがお金なのです。「ありがとう」をいっぱい言われるようになると、それと比例して、お金もいっぱい入ってきます。

お金の本質は信用であり、お金は感謝の対価として支払われるものです。信用貯金を貯めて、多くの感謝をもらえる生き方は素敵ですね。ユダヤ人は富を持つ方がたいへん多い民族ですが、信用を得るために、普段から約束を作ってでも約束を交わすことを実践してきた民族でもあります。ぜひ、みなさんも実践されてはいかがでしょうか。

VISAカードを作った人物が教えるお金の原理原則

ミホリン

あなたは、今の経済状況に納得していますか？　お金は、人生にとって非常に大事な役割をしています。もちろん、もっと大事なものはありますが、現代社会においてお金は避けては通れないものです。

例えば、大切な人や子どもが、事故に遭って大怪我！　それを治せるのは、神の手といわれる世界トップの医師しかないとしたら、その医師の手術代は高いでしょうか？安いでしょうか？　人の命が助かるかどうかと、お金は関わってきますよね。

そんな大事なお金のことについて、誰に教えを受けるのがいいでしょうか？

ジュリアス師匠はある時、師匠の教育係でもある長老から、お金の教えを受けるのならと言って、とある人物を紹介されました。

長老がアポを取ってくれて、その人物に会うため指定されたオフィスへ行くと、そこには普通のエレベーターとは別に、１階から最上階の会長室まで直結で行く会長専用のエレベーターがあったといいます。

エレベーターが登って、扉が開きました。すると、そこには長老と同年代の男性が立っていて、彼はいきなりこう言ったのです。

「Hi, how do you make money?（どうやってあなたはお金を作るの？）」

挨拶もなくいきなり初対面でこんな質問があるでしょうか。

「え？　仕事をしたら……ですか？」

ジュリアス師匠はいろいろ答えましたが、答えは全部「ＮＯ」でした。

彼の名前はディー・ホック。ＶＩＳＡカードの創業者です。

そしてディーこそ、ジュリアス師匠にお金の本質を叩き込んでくれた人物でもあります。

彼は言いました。お金を稼ぐ方法にはたった３つしかないのだと。

「え、たった３つですか？」

驚く師匠に、彼がレクチャーしたのは次の通りです。

①相手ができないことをやって差し上げる。

例：スマホを組み立てて作ることはできないから、アップル社にお金を払って、スマホを手に入れる。

②相手の悩みを解決して差し上げる。

例：夫婦仲を改善したいから、カウンセラーにお金を払って夫婦でセラピーに行く。

③相手ができるけれどやりたくないことを、やって差し上げる。

例：リビングの掃除は自分でもできるけれど、休日は家族で遊びに出かけたいので掃除を外注する。


高層ビルの最上階にあるディーのオフィスは一角が全面ガラス張りになっており、米粒くらいのサイズの人が行き交う様子が見えています。

そこに師匠を呼び寄せ、ディーは話を続けます。

「これだけの人がいて、世界から悩みがなくなることがあると思うかい？」

「いいえ」と師匠が答えると、

「だから、君がお金に困ることは一生ない」

ディーはそう言ったのです。

お金の本質は、問題解決です。①〜③のいずれかのために、人はお金を支払ったり受け取ったりしているのです。

そして、クレジットカードは、次のように３つすべてに該当するので、世界中に広まったのです。
①カード１枚で好きな時に買い物ができる。
②今月、お金が苦しくても買い物ができる。

③ 大量の現金を持ち歩いて買うこともできるけれど、カード1枚で済むので便利。

金融業にはさまざまな業種がありますが、クレジットカードの仕組みは、最もお金の本質を捉えています。だからこそ、彼のサービスは世界中に広がり、世界中の人が毎日のようにVISAのロゴが付いたカードで決済しているのです。

お金の本質を理解することの大切さを実感しますね。

物を売るのではなく物に付加した価値を売る

ジョージ

みなさんは、100円のボールペンを買って、売ったことはありますか？　しかも10万円、20万円で売るのです。

「何を言っているんだ？　ただの100円のペンが10万円、20万円で売れるわけがない。タダ同然か、売れたとしても買った時の値段よりも低くなるはずだ」

そう思われたのではないでしょうか？　僕も最初、そう思っていました。ですが、ユダヤの師匠のお話を聞いて、その思考、思考のクセを持っているが故に、僕はいつまでたっても今の経済状況を抜け出せないでいるのだと気付かされました。

お金持ちには、お金持ちになる思考があります。お金が貯まらない方には、お金が貯まらない思考があります。この項目では、お金持ちがどのように考えて、物を売っているのか、という視点からお伝えできればと思います。

あなたは物を売った経験はありますか？　メルカリでも、ラクマでも、ヤフオクでも何でも構いません。物を買って売る時、プレミアが付いたり、販売を生業とする業者でない限り、ほとんどの場合で、買った時の値段より低くなると思います。

例えば、新車や家電を買って、ある程度してから売る時には、価格が下がりますよね？　買った時の値段と同じで売れることは、ほとんどないと思います。

「買った時より売る時は値段が下がる」

それが当然だと思っていませんか？　僕も実際、そのように思っていました。

ですが、この考えのままでは、なかなかお金が貯まりません。なぜなら、この考え方はお金が貯まらない人の思考だからです。

お金持ちになる人は、お金持ちになる思考を持っています。お金持ちになる人は、「物自体の価値に、自分の持つ付加価値を付けて売る」と考えます。

例えば、こうです。

「このボールペンを10万円で購入いただいたら、週1回3カ月間、計20万円分のコーチングを付けます」

「私が100万円かけて学んだ集客や独立までのノウハウを、この10万円のボールペンを購入すれば、お教えします」

など、売る商品自体の価値ではなく、それを購入することで相手が手にできる価値をいかに付加するかを考えるのです。価値を付加することで、商品の原価からは想像できないくらい価格を上げることができるのです。

これが冒頭でお話しした100円のボールペンを10万円、20万円で売るカラクリです。100円のボールペンが10万円、20万円で売れるのは、100円のボールペンのそのものの価値ではなく、そのボールペンに付加した価値が魅力的だからです。

相手にとって、付加価値が魅力的であればあるほど、この価格は高く設定することが可能です。逆に相手にとって、まったく魅力的ではないか、そこまで必要のない付加価値だったら、どんなに安くても売ることはむずかしくなります。

例えば、あなたが物販で集客に困っているとしたら、私ならこうします。

「このボールペンを100万円で購入したら、物販で月売上1000万円の実績を叩き出す集客技術のノウハウを伝授します」

こんな付加価値がボールペンに付いていたら、購入したくなりませんか？

けれども、あなたがコーチング技術を持っているとして、先ほど例に出した、週1回3カ月のコーチングの付加価値に魅力は感じにくいでしょうし、10万円では購入しないでしょう。

もっと言えば、付加している価値が相手から見て喉から手が出るほどほしいものでしたら、ボールペンである必要もありません。極端な話ですが、道に落ちている石ころ、捨てるはずだったコンビニのレシートでも、何でもいいのです。

物自体を売るのではなく、その物に付加した価値を売る。これがお金を稼ぐ方の思考です。まるで魔法使いのように無から有を生み出す力です。

僕自身、まだ道半ばで、100円のボールペンを100万円で売ることはできませんが、この付加した価値を売るという思考で、多くの対価や交渉を手にしています。

あなたも、物そのものを売るのではなく、自分だからこそ提供できる価値を考え、その付加した価値を売ることで、今よりもより良い人生を手にすることができます。

常に自分が提供できる価値を考えて、その価値を付加して売ること、すなわち、無から有を生み出す力を身に付けることが、お金に困らない人生の始まりです。

第6章 まとめ

1. RASのメカニズムを知って、幸せにフォーカスできる自分になろう。
2. 一流の経験をしてマネーブロックを外そう。
3. 過去の経験を上書きすることで、望む未来を引き寄せよう。
4. お金の本質は信用である。信用を集めるとたくさんのお金が入ってくる。
5. 約束は作ってでもしよう。
6. お金は感謝の対価である。

第7章

リーダーは誰一人見捨てない

リーダーとは、決断し、前に進むことのできる人

ジョージ

「リーダー」という言葉をよく耳にしますが、いったいリーダーとは何なのでしょうか。よく似たものに「ボス」という言葉がありますが、何が違うのでしょうか。もし、その2つの違いを知ったら、あなたはどちらになりたいですか？

ご存じの方もいらっしゃるかもしれませんが、イギリスの高級百貨店、セルフリッジズ創業者であるハリー・ゴードン・セルフリッジ氏という方は、ボスとリーダーの違いを次のように述べています。

ボスは部下を駆り立てるが、リーダーは部下を指導する。
ボスは権威を切望するが、リーダーは好意を期待する。
ボスは恐怖をかき立てるが、リーダーは情熱を生み出す。
ボスは『私』と言うが、リーダーは『私たち』と言う。

ボスは時間通りに来いと言うが、リーダーは自ら時間前にやってくる。
ボスは失敗の責任を追及するが、リーダーは失敗の後始末をする。
ボスはやり方を知っているが、リーダーはやり方を教える。
ボスは仕事を苦役に変えるが、リーダーはそれをゲームに変える。
ボスは『やれ』と命じるが、リーダーは『さあやろう』と言う。

あなたは、この文章を読んで、どのように感じましたか？　お恥ずかしい話ですが、僕はこの文章を読むまで、ボスとリーダーとの違いは曖昧で、ほぼ同じ意味だと思っていました。ですが、このハリー・ゴードン・セルフリッジ氏の言葉を見て、はっきりと違いを感じるようになりました。

ボスは、ボス個人の目標達成のために、スタッフを駒として使うイメージです。リーダーは、会社の理念やビジョンに向かって、チームの方向性を示し、スタッフと一致団結して行動していくイメージです。

少し前の僕は、間違いなく、ボスだったでしょう。しかも、タチの悪いボスです。自分の目標達成のために、いろいろな方をいいように利用していたような気がします。その時の方々、本当にごめんなさい。この場を借りて謝罪します（汗）。

自分本位で、いいように人を利用していると、最初はうまくいっているように見えるのですが、集団の人数がある一定数を超えたら、集まった仲間やスタッフからの不平不満が起こります。些細なことでいざこざが起こり、組織として機能しなくなって、自然消滅……、ということを何回か経験しました。その時の僕は、「俺はこうやっていく！俺はこうしたいんだ！　言うことを聞け！」など、独りよがりで、「これしろ！　あれしろ！」などと命令ばかりして自分は動かず、「こうなったのもお前のせいだ。責任を取れ！」と、責任も他人のせいにしていたのを覚えています。これは、ユダヤの教えを学ぶ前の話です。

ユダヤの教えである「自律思考」、「現状感謝」（P248参照）、「質問力」、「交渉術」などを学んでからは、大きく変わりました。

自分で考え、今いる環境や僕の周りにいる人への感謝、相手のニーズを聞き出す質問力、互いのWIN-WINを築く交渉術のおかげで、長く続く関係性ができ、集団が一定数を超えても、いざこざが起こらなくなってきました。

小さな会社の代表として、さまざまな実践を通して分かったことは、「リーダーとは、決断し、物事を前に進めることができる人」だということです。

コーチングの祖といわれるトニー・ロビンズの有名な言葉に「運命が決まるのは、あなたが決断する瞬間なのだ」とあるように、決断することが物事を変えるすべての始まりです。リーダーは、常に決断を迫られます。数ある選択肢のなかから、理念やビジョンに即した選択肢を選び、仲間やスタッフを巻き込み、自責の念で行動を起こし、今よりも少しでもいいから物事を前に進めます。

それがリーダーとしての役割だと僕自身感じています。

物事を決断するのは、むずかしいという方もいるかもしれません。何を隠そう、僕も決断するのは苦手でした。

人生を左右するような大きな決断には、それ相応の覚悟が必要です。いきなり、その決断をするのはむずかしいでしょう。決断する覚悟を日頃から鍛えていく必要があると感じています。僕やあなたは、気付かないだけで、小さな決断を毎日しています。まずは、自分が決断していることを自覚することが、決断する力を鍛える始まりだと思います。決断する内容を少しずつ上げていけばいいのです。

僕の例ですが、「今日は、家でご飯を作るのか？　外食するのか？」から始まり、「コンビニで、ホットコーヒーを買うか？　買わないか？」「このお客さまからのお仕事を受けるか？　お断りするか？」「飲み会に行くか？　断るか？」などを「自分の意志」で決断していきます。これを繰り返すことで、決断する力、決断する覚悟が徐々についていきます。日頃からの意識や習慣が、決断する力を身に付けるには必要です。

ここで、あなたに、決断する機会をプレゼントしようと思います。

あなたは、リーダーになりたいですか？　ボスになりたいですか？

ぜひ、決断してみてください。

1％の少数の意見に耳を傾ける

ジョージ

「多数決の原理」という言葉をご存じですか？　2つ以上の意見や選択肢があって、賛成数が多いほうが選ばれるというものです。

この多数決の原理は、多くの学校や会社、選挙などで採用されています。というか、賛成数が多いほうが選ばれ、まかり通るのが、今のこの社会です（笑）。

では、素晴らしいリーダーになりたいあなたは、どうすればいいのでしょうか？

大多数の意見や選択肢だけを、優先すればいいのでしょうか？

それとも、少数の意見や選択肢にも、耳を傾ける必要があるのでしょうか？

このことに関しても、ユダヤの原理原則があります。

その原理原則とは、「リーダーは、99％の大多数の意見や選択肢だけでなく、１％の少数の意見に耳を傾ける」ということです。

少数の意見に耳を傾ける？　せっかく決まって、先に進めそうなのに、なぜ、そんなことをする必要があるのでしょうか？

前項で、リーダーとは、決断し、物事を前に進めることができる人だとお伝えしました。

集団の大きさにかかわらず、決まった意見、方針、選択肢に対して、反対する方が必ず一定数います。ほとんどの会社、集団は、大多数の意見が通り、少数の意見は無視されてしまいます。しかし、その方々の意見を無視して、次に進むとどうなるでしょうか？

自分の意見を無視され、意見を取り上げられない状態で、モヤモヤしたままの人がいるなかで、集団の一体感や統一感は生まれるでしょうか？

答えはＮＯです。最初はうまくいっているように見えて、必ずどこかで、ほころびが出ます。

では、そもそも、反対の意見に耳を傾けることで、何かメリットはあるのでしょうか？　日本のことわざで、「急がば、回れ」というものがあります。「物事は慌てずに着実に進めることが結果としてうまくいく」という意味です。

少数の意見に耳を傾ける行為が、それにあたるのではないかと思っています。

僕自身の経験ですが、学生の頃でも、社会人になってからも、僕は少数派に入ることが多いです。そのお話をしようと思います。

声をかけやすかったからでしょうか？　なぜか僕は、何かの集まり（委員会、実行委員会、コミュニティなど）の創設メンバーに声をかけてもらう機会が多く、その申し出に快諾して、創設メンバーとして活動する機会に恵まれていました。

創設した初めの頃は、頼られて誘われたので、活動にハマッて積極的に参加し、自分なりの意見を数多く言っていました。

けれども、僕の意見は少数派であることが多く、ほとんどが選ばれず、取り合ってもらえず、相手にされませんでした。そして、僕の意見は流され、大多数の意見が採用されていました（笑）。

それが続くと、次第にやる気を失っていき、発言しても、「取り合ってもらえないのなら、何も言わなくてもいいや」という考えになり、発言することがなくなりました。また、「この状態なら、いてもしょうがないし、メンバーもある程度、集まったから、この団体を抜けよう」となり、創設メンバーから脱退します。このような流れを幾度となく経験してきました。

マズローの欲求５段階説ではないですが、その当時の僕は、承認欲求に餓えていたんだと思います（笑）。少しでもいいから、意見を受け入れてほしかったのを今でも覚えています。

現在、自分の会社の方針や存続に関わる大きな決定は、もちろん自分で行っています。しかし、かつて自分の意見を受け入れてもらえなかった経験から、会社のイベントなどの運営に関する小さな決定をする時には、組織としての決断速度は落ちますが、スタッフの意見に耳を傾けています。そのなかで、「私も同じ意見です」「何もないです」「どっちでもいいです」という意見があった場合、「同じなのは、分かりました。それを自分の言葉で述べてください」「本当にそうですか？」「ないのなら出るまで待ちます」「どっちでもいいという意見は、なぜ、そう思うのですか？」と、あえて振り出しに戻るような質問をします。

そこで出たスタッフからの意見、質問を一つひとつ解決、もしくは、少しでも取り入れて、より良い形で決定を行い、前に進めようと心がけています。

一見、時間のかかりそうな工程ですが、この工程には、思わぬ効果があります。

それは、最初、僕が考えていた意見、選択肢よりも、格段に良くなっているということです。通常、考えや意見を述べる方は、煙たがられることが多いです。反対の考えや意見なら、なおのことです。

しかし、視点を変えてみると、自分以外の人から考えや意見が出るということは、その方は、「自分にはない考えや意見を持っている」ということになります。

僕はリーダーが自分の意見に固執するのは、良くないことだと思っています。偉大なリーダーとは、多くの意見に耳を傾け、素晴らしい意見は、どんどん取り入れていきます。

自身の意見に固執しすぎると、人はついてきません。どんな方法でも、目指すゴールにつながるなら、それは正解なのです。その考えや意見を解決、もしくは、取り入れることで、さらに、より良いものに変わっていきます。これは、誰一人として仲間を見捨てないからこそできることだと感じています。

リーダーは、「1%の小数の意見に耳を傾ける」のです。

「1%の小数の意見に耳を傾ける」とは、参加している人、参加していて違う意見を持ち、モヤモヤしている人を見捨てないということです。誰一人、見捨てないことにより、見捨てられず、自分の意見をくみ取ってもらった人にとっては、その意見が他人事から、自分事へと変化を遂げます。自分の意見を聞いてもらえず、他人事として、イヤイヤ参加するのと、自分の意見をくみ取ってもらい、自分事として積極的に参加するのとでは、結果に差が出てくるのは、火を見るより明らかです。

リーダーだけではなく、スタッフやメンバーが、当事者意識を持って、積極的に参加することによって、その組織はさらに強くなるのです。

これは、テクニックというよりも、リーダーとしての心のあり方として、非常に重要です。会社や集団の規模は、トップのこうした態度（リーダーのあり方）で決まってきます。大多数の意見だからといって、少数派の意見を無視して、モヤモヤした気持ちで、強行していたら、多くの人はついてきません。「誰一人も見捨てない」、だから、会社や集団の規模が大きくなるのです。

リーダーは、「決断し、物事を前に進めることができ」、「1%の小数の意見に耳を傾ける」人であると、お伝えしました。

これらを、スキルではなく、「あり方」として身に付けることが、あなたをリーダーとして輝かせる近道になります。

あなたは、どんなリーダーになりたいですか？

スタッフに決めさせて、任せる

ジョージ

僕の会社では、さまざまなことをスタッフに決めてもらい、任せるようにしています。

例えば、スタッフが決めたものとして、福祉事業のユニフォームがあります。

福祉事業の準備期間の時、スタッフに質問をしました。

「ユニフォームはいる？　いるなら、既製品でいい？　それとも、文字とか絵を入れたオリジナルを作る？」

するとスタッフは、こう答えました。

「もちろん、オリジナルを作ります！」

「デザインは、どうする？　手書きで作る？　それとも、パソコンで作る？」

「手書きで描いてみます！」

正直なところ、僕はスタッフに決めてもらう前から、福祉事業にオリジナルのユニフォームを作ることを決めていました。

もちろんトップダウン式に、「オリジナルユニフォームを作るぞ！」「デザインを考えて！」と言って、作らせることもできました。そのほうが早いですし、楽です（笑）。ですが、そうするとスタッフの自主性が育ちにくいので、オリジナルユニフォームを作るか作らないかを自分たちで決めてもらうというステップを設けました。

オリジナルユニフォームを作ると決まったので、担当のスタッフは、その目標に向かって行動を起こしてくれました。まず、オリジナルTシャツの制作をしている近所のショップに出かけ、ユニフォームのカタログをもらい、そのなかからユニフォームを選びました。次に、ユニフォームにプリントするデザインを作りました。それぞれのスタッフが想いを込めて、それぞれのパーツを描きました（図7-1）。

そのデザインを持ってショップに注文をかけました。

ユニフォームが手元に届くまで、スタッフは、「まだですかね？　早くユニフォーム

図 7-1　スタッフがデザインしたオリジナルユニフォーム

届くといいですね！」と楽しみにしていました。このワクワク感は、僕がトップダウン式で指示していたら、きっと生まれなかったものだと思います。スタッフが自らで決めて、実行したからこそ生まれたワクワク感なのです。さらに、スタッフに決めさせて任せたことで、スタッフが一丸となる効果も生まれました。その意味では、会社の運営にとてもプラスになったと感じています。

　前項でも述べましたが、少数の意見を見捨てず、耳を傾け、意見を取り入れることで、他人事であったものが、自分事になります。

オリジナルユニフォーム作りのケース

でいえば、作る、作らないを自分たちで判断したり、自分たちでデザインを考えたりしたことで、「会社から与えられるユニフォーム」ではなく「自分たちが作った会社のユニフォーム」となりました。自分事となったユニフォームを着ることで、仕事にも前向きに取り組むことにつながります。

あなたも従業員の自主性や積極性を養うために、従業員に物事を決めさせ、任せてみてはいかがですか？

積極的な人は、リターンが大きい

ジョージ

あなたは積極的なほうですか？　それとも消極的なほうですか？

よく積極的に意見を言って、周りから浮いてしまう人がいます。一方で、目立たないように、周りに歩調を合わせすぎてしまう人がいます。この2つのパターン、どちらが人生を生きていくなかで、良い結果が得られるのでしょうか？

ユダヤの教えを学ぶまでは、僕自身、最初から積極的ではなく、どちらかというと、消極的な人間でした。

例えば、本当にほしいものがあっても、一番最初に選ばず、誰かが選んだあとに、残っているもののなかから選んだり、ほかの全員が選び終わってから、自分が選ぶというようなことをしていました。また、何かを発言をしたくても、一番最初に発言することはせず、誰かが発言するまで待っていたり、待ちすぎて何も言えないまま、発言する機会を逃したりしていました。意見が対立した時や、断られると、すぐに諦めるなど、今考えると、もったいないことをしていたなと思います。

自分が消極的なことによって、たくさんの機会を逃してきました。

ユダヤの教えのなかで、学んだことがあります。それは、「世の中には、積極的な人と消極的な人がいて、世の中のすべてのうまみは、積極的な人が取っていき、そのあまりが消極的な人に回ってくる」ということです。これは、「残り物には福がある」と思っていた僕にとって、大きな衝撃でした。

言い方は悪いかもしれませんが、物事に積極的な人が美味しいところを持っていって、その残りカスを消極的な人で取り合うという感じで、積極的な人が有利な条件になっているのです。これを聞いて、「少しでも積極的にならなければ」と思ったのを覚えています。ですが、急に積極的になるのはむずかしいので、少しずつできることから始めました。いきなり「大きなこと」で積極的になるのは、難易度が高かったので、「小さなこと」から積極的になろうと決心しました。

例えば、次のようなことです。

①初対面で、相手からの挨拶を待つのではなく、自分から挨拶に行く。
②誰かに何かを譲る場合、相手から要求されてから譲るのではなく、自分から進んで相手に渡す。
③「質問はありますか？」と聞かれたら、どんな内容でもいいから必ず質問する。
④断られても、違う方法を考えて、また提案する。

この小さなことを積極的に行うことで、大きなことを積極的に行えるようになってきます。小さなことにも積極的に行う習慣が付いたおかげで、元来、消極的だった僕は、積極的に物事を進められるようになってきました。そして、すでにご紹介したように、メディア取材を勝ち取ることができました（Ｐ１５２参照）。

これは僕の経験ですが、積極的であればあるだけ、ほかの人とのぶつかり合いや反対意見を受けることは増えますが、その分、得られるリターンも大きくなります。

お互いが積極的で、ぶつかり合いが起きたり、意見が違った場合は、一貫性の強いほうが優遇されます。一貫性とは、自分の思いを通したり、自分の価値観や個性に説得力を持たせるのにとても重要です。一貫性とは、始めから終わりまで矛盾がなく、同一の主義・主張を持つことです。コロコロ意見が変わる人よりも、初志貫徹で、最初から同じ意見を貫く人のほうが、魅力や力強さ、説得力を感じませんか？

積極性とは、断られても諦めず、一貫性を持って根気強く伝え続け行動することです。

あなたは積極的ですか？　それとも消極的ですか？

あなたは積極的な人と消極的な人、どちらになりたいですか？

自分の可能性を信じる

ジョージ

いきなりですが、あなたは、あなた自身の可能性を信じることができますか？

「え？　自分の可能性？　信じてるよ」という方もいれば、「自分に可能性なんてないせんね。

では、質問を変えて、あなたの可能性を信じている方はいらっしゃると思いますか？

「え？　たぶん、誰かには信じてもらっているはず」という方もいれば、「誰にも信じてもらってないよ」という方もいれば、「考えたこともない」という方もいるかもしれませんね。今の段階では、はっきりと言える方は少ないのではないでしょうか？

最初の質問がうまく答えられないと、2番目の質問には答えにくいと思います。

少し前の話になりますが、僕自身、自分の可能性を信じることができず、はりきゅうマッサージで独立するか、独立しないかで迷っていた時期がありました。「独立しても、うまくいかないのではないか」「僕なんかが、独立なんてできるわけがない」「独立してなんになるんだ」など、自分の可能性を信じることができず、二の足を踏んだ時期です。

この時には、僕の可能性なんて誰も信じてくれませんでした。

ある時期の仕事仲間からは、「俺が独立しても、ジョージは絶対に雇わない」「あいつ（ジョージ）は資格持ってなかったら、いる意味ないよね」「あいつ（ジョージ）の替えなんてほかにもいるから、いなくなっても困らない」と、たくさんの言葉を受けました。

その時の僕は、自分の可能性を信じるどころの話ではありませんでした（笑）。仕事に対するやる気もなく、なぜこの仕事に就いたんだろう、なぜ必死になって国家資格を取ったんだろうと毎日、後悔していました。

ある日、ふと、専門学校時代の卒業アルバムを見て、自分はなぜ、はり師・きゅう師（鍼灸師）、柔道整復師になったのかを思い返すことがありました。「ああ、会社のノルマや売上のために、なったんじゃないよな。患者さんの笑顔のために資格取ったんだよな」「人生一度きりしかないから、ここを辞めて、鹿児島で独立しよう！」と、思い立ちました。

その時は、不思議と自分の可能性を信じてみたくなりました。

「俺ならできる！　だって、今までこの2本の脚で体を支えて歩いてきたんだから！」と、今考えても根拠のない自信でした（笑）。

自分の可能性を信じると決断してから、道が開けたと思います。会社を辞めてから、3年という月日は流れましたが、無事に鹿児島で独立することができました。

その後、新型コロナウイルスの流行期間に、オンラインでマーサ先生のユダヤの教えを学ぶことができました。ユダヤ式ノートの取り方、現状感謝、自分で考える自律思考、質問力、交渉力、絶対的ポジション、アウトスタンディングなどを学び、さらに自分の可能性を広げることができました。

ユダヤの教えを学んで気付いたことは、はり師・きゅう師、柔道整復師の資格を持っていることで、自分の視野が狭くなっていたことです。はり師・きゅう師、柔道整復師を持っていることから、その仕事をすることしか視野になかったのです。

それまでは、はり師・きゅう師、柔道整復師の資格での範囲でしか、物事を見ることができませんでした。しかし、ユダヤの教えやユダヤ人の師匠に出会ってからは、頭の枠組みが徐々に外れてきて、さまざまなことに挑戦できるようになりました。

自分の可能性を信じる力を鍛えることによって、すでにお伝えした、「リーダーとは、決断し、前に進めることができる人」「1%の少数の意見に耳を傾ける」ということができるようになってきました。大きな決断をすることができるようになったのです。

また、僕を信じてくれる人が増え、僕の周りに人が集まってくるようになったのを実感しています。自分の可能性を信じるからこそ、自分の意見にこだわらず、他者の意見を受け入れ、誰一人見捨てないことができるようになってきました。

「自分の可能性を信じる」といわれても、可能性を信じることがむずかしい方や、そもそも自分にどんな可能性があるのかが思い付かない方など、さまざまな方がいると思います。

自分の可能性を思い付くには、方法があります。「気付かぬうちに陥っている『マネーブロック』」の項目（P180参照）で述べられている一流の体験をすることです。

一流の体験をすることで、今までの自分の思考の枠を超えて、さまざまな可能性を思い付くことができるようになります。ぜひやってみてください。

自分の可能性を信じるには、ユダヤの原理原則の「現状感謝」が重要だと思います。「現状感謝」とは、あたり前だと思っていた現状にあるものすべてに感謝することで、自己肯定感が高まり、不思議と自信もあとからついてきます（P248参照）。

あとは、精神論のようになりますが、ただひたすら行動を起こし、さまざまなことを経験することも大切だと思います。

あなたは自分の可能性を信じることができますか？　心のなかにしまっている可能性の種はありませんか？　今、その可能性に光をあてて、花を咲かせる時です。

「誰も、信じてくれない」ですって？　大丈夫です。僕は、あなたの無限の可能性を信じています。

第7章 まとめ

① リーダーは、決断し、物事を前に進め、誰一人見捨てない。

② スタッフが自ら決めて実行することで、仕事が他人事から自分事になる。

③ 積極的な人が世の中のうまみを手に入れる。

④ あなたは素晴らしい可能性を持っている。

第8章

感情に振り回されるのか、使いこなすのか

すべての出来事に意味はない

ピンクたん

テレビで明日の天気予報を見ていると、明日は休みですが、予報は雨。こんな時、あなたならどんな気持ちになるでしょうか？

「えー？　明日は雨かぁ、せっかくの休みなのに」

雨が降ると、出かける時に濡れちゃうなぁとか、傘を持つのは面倒だなぁとか、洗濯物が干せないなぁとか、何となく気分もどんよりしてしまうという方も多いのではないでしょうか？　けれど、久しぶりに雨が降ってくれて、農家の方はうれしいと思うかもしれません。新しい長靴を買ってもらった子どもは、雨が待ち遠しくて、「やった、明日雨だね！　新しい長靴履けるね！」と大はしゃぎで喜ぶかもしれません。

雨の予報を見て、嫌な気持ちを抱く人もいれば、うれしい気持ちを抱く人もいます。

実は、雨そのものには、良いも悪いもなく、自分でマイナスなイメージを付けてしまっているのです。雨を見た時に、どんよりしてしまう感情を自分で選んで付けてしまっているのです。

雨だけではありません。何かを見た時、悲しいと感じる人もいれば、うれしいと感じる人もいます。失敗することがあった時、ひどく落ち込んで、立ち直れなくなる人もいれば、失敗は成功のもとと前向きに捉えることができる人もいます。失敗を人のせいにしたりする人もいます。

このように、人によってさまざまな感情を持つことになりますが、それらの感情はすべて、自分自身が選んで付けている感情なのです。自分で感情を選べるなら、できるだけ、自分をマイナスにしてしまう感情ではなく、自分をハッピーにしてあげられる感情を選びたいものです。

親が子どもに与える影響としては、親が「嫌だなぁ」と言っていると、子どもにも気持ちが伝染してしまいます。先ほどの例ですと、「雨が嫌だなぁ」と子どもに言っていると、子どももいつの間にか、雨は嫌なものなんだと思うようになってしまいます。

親が憂鬱な感情でいたからといって、その憂鬱を無意味に子どもへ伝染させる必要はありません。感情は子ども自身が選び、感じるものであってほしいですよね。

感情の道具箱

ミホリン

あなたは「感情の道具箱」から何を選びますか？

あなたの力を奪うネガティブな感情と人生に活力を与える感情、どちらの感情の影響を受けながら人生を送りたいですか？

あなたはあなたの力を奪うネガティブな感情を、なぜ持ち続けるのでしょうか？

「米国科学アカデミー紀要（PNAS）」に発表された、米カリフォルニア大学バークレー校の研究チームの論文によると、人間には27種類の感情があるといいます。

27種類とは、次のものです。

敬服・崇拝・称賛・娯楽・焦慮・畏敬・当惑・飽きる・冷静・困惑・渇望・嫌悪・苦しみの共感・夢中・嫉妬・興奮・恐れ・痛恨・面白さ・喜び・懐旧・ロマンチック・悲しみ・好感・性欲・同情・満足

このように、人間にはいろいろな感情がありますが、人生で起こるいろいろな出来事自体には良いも悪いもありません。意味を付けているのは、あなたなのです。

意味付けが下手な人は、いつも苦しむことになりがちです。感情の選択には個々のクセがあって、悲しみ、恐れ、怒り、苦しみ、喪失感、孤独感、不安、恐怖感、こういった感情ばかりを選んでしまうのです。

しかし、感情のマスターたちは違います。自分からの力を奪う意味付けはしません。彼らは、感情の道具箱から何を選ぶかは自由に選択でき、自分で自分の感情をコントロールすることで、外の世界に影響を与えることができることを知っています。心と体はつながっています。そればかりか、自分がどんな感情を選択するかで外の世界が創られていくのです。

人生を充実したものにするために重要なことは、今を１００％生きることです。それには五感（視覚、聴覚、触覚、味覚、嗅覚）で感じることに気を配ることが大切です。五感で感じることができないと、大した人生になりません。過去の悔いや未来の不安ばかりで、今を蔑ろにしているなんて人生がもったいないと思いませんか？

今の感情が、そのままあなたの人生の質になるなら、ポジティブな感情を自分の頭のなかに入れ込めば良いのです。人生に都合の良い感情だけを取り入れて、人生に爆発的パワーを手に入れましょう。忘れないでください。

今の感情は、あなたが選べるのです！

「天使の言葉」を使うか、「悪魔の言葉」を使うか？

ミホリン

あなたは「天使の言葉」を使いますか？　それとも「悪魔の言葉」を使いますか？

「天使の言葉」とは、あなたに力を与える言葉、ポジティブで前向きで楽しい言葉のことです。それに対して「悪魔の言葉」とは、あなたから力や運を奪うネガティブな言葉のことです。

「悪魔の言葉」を使わず、「天使の言葉」を使うことが大事といわれます。そして「悪魔の言葉」ではなく、「天使の言葉」を使うように心がけることで、人生は好転していきます。

「天使の言葉」と「悪魔の言葉」の一例を図8－1の①②に挙げます。

図8-1　天使の言葉、悪魔の言葉、ネガティブ言葉に付け加える言葉

①天使の言葉
うれしい、ありがとう、ワクワク、大好き、素敵、ラッキー、楽しい、Happy、私は運に愛されている、私はツイている、感謝、など

②悪魔の言葉
無理、ツイていない、できない、嫌い、面倒くさい、分からない、バカヤロウ、なんでこんなに私ばっかり、やりきれない、理不尽過ぎ
「3D」と呼ばれる言葉：でも、だって、どうせ、など

③ネガティブ言葉を発してしまった時に付け加える言葉
そんなはずはない、できない…こともない、分からない…こともない、嫌だけれど面倒くさいけれどやってみよう、など

私たちの脳は実によく作られています。

そして、そんな私たちの脳は、自分たちが発した言葉をそっくりそのまま自分の言葉として取り込んでしまうのです。

だからこそ、使う言葉を意識し、天使の言葉で満たしていきたいですね。

けれども現実には、大変なことや嫌なことがあると、ネガティブな言葉を発してしまう、そんなこともあるでしょう。

でも、大丈夫！　大丈夫！　安心してください。

ついネガティブな言葉を言ってしまった時の解決策があります。例えば、図8－1の③のような言葉を付け加えるのです。

また、「私は○○というのは嘘！（○○＝

馬鹿、デブ、成功できない、など）」「キャンセル、キャンセル、キャンセル！」などの言葉を加えるなどして、ネガティブ言葉を打ち消せば大丈夫です。

よく「脳は主語が分からない」といわれますが、他人を褒めることも「天使の言葉」を使うことと同じ効果があります。とても有効です。

「きれい！」「素敵！」「素晴らしい！」などのポジティブな言葉で自分以外の相手を褒めると、脳はそれを自分のこととして認識するといわれます。

褒められた人もうれしいし、自分の脳も褒められてうれしいのです。相手と自分の関係はWIN-WINになりますし、いいことずくめですよね。

人の自信と可能性を奪い去る「悪魔の言葉」のなかに、「ど～せ無理」があります。

「TEDx Sapporo」に登壇し、これまでに700万回以上動画が再生されているロケット開発者、植松努さん（株式会社植松電機代表取締役）のトークをご紹介しましょう。

植松さんは子どもの頃、夢を語ったところ、小学校の先生に「ど～せ無理」と言われたそうです。また、この言葉について「人の自信と可能性を奪ってしまう恐ろしい言葉」であり、それでいて「これを言ったらやらなくて済むから楽になる言葉でもある」と述べています。

そして、「ど～せ無理」の代わりに、みんなが「だったらこうしてみたら？」を使うことを勧め、そうすれば人類みんなの夢が叶う、とトークを締めくくっているのです。

「起こった出来事自体に意味はない。あなたが意味付けするまでは」

というユダヤ家庭に伝わる格言があります。

起こった出来事それ自体には良いも悪いもないのです。私たちがその出来事のどこにフォーカスし、どう解釈するかだけなのです。

ですから、たとえ「大変だな」と思われがちな出来事であっても、「その出来事のギフトは何か？」「その出来事が起こったのは何のためか？」にフォーカスすることで、どんな出来事も自分が望むように意味付けができるのです。

発明王トーマス・エジソンには、「私は失敗したことがない。ただ、1万通りの、うまくいかない方法を見つけただけだ」という有名な言葉があります。物事の捉え方や発する言葉の選択で、心の持ち方も随分と変わるという良い例と言えるでしょう。

人生は成功と失敗でなくフィードバックです。あなたも天使の言葉を使うことを心がけてみませんか。

あなたは自分の葬式で何と言われたいですか？

ミホリン

人は人生で2度通信簿をもらうといわれます。1つは、学校でもらう通信簿。こちらはあまり気にしなくていいです。もう1つ大切な通信簿があります。それは、あなたの人生が終わった日、葬式の時にもらう通信簿です。

後者の通信簿の点数を一生かけて上げていきましょう！

これは「葬式ベース」と呼ばれる考え方です。

あなたの人生が終わった葬式の日に、あなたを取り巻く人々から何と言われるか？

何人があなたの死を悲しみ、参列してくれるか？

あなたの死を惜しんで何人が泣いてくれるか？

この通信簿の特徴は、人に貢献することでしか点数が上げられないことです。ですからユダヤ人はチャンスを待つのではなく、チャンスを作ってでも与える、という考えを持って行動します。

世の中には、相手が損しても、相手を騙しても構わないという人がいます。また、自分さえ良ければという考えで、WIN-LOSEの儲け話に乗ってしまう人がいます。

「葬式ベース」をしっかり身に付けたユダヤ人は、決してこのような儲け話には乗りません。それは、人生最後の葬式でもらう通信簿の点数を下げてしまうからです。

ユダヤ人は、お互いにとって儲けになり、あなたも私もハッピーであるWIN-WINの関係を大切にします。

日本の日常風景でよく見られるのは、力でねじ伏せる、妥協する、上の言うことだから仕方がない、というものですが、こうしたことは許されません。お互いがWIN-WINの関係になるまで、しっかり話し合います。こんな時、「自分だけがよければ」と考えていたのでは継続的な関係にはなりませんよね。

あなたの葬式の時、参列者はあなたについてどのような話をするでしょうか？

あなたの人生について話すとしたら、どのように言ってもらいたいですか？

例えば、私なら、「○○さんは、こんなふうに素晴らしい人だった」「おかげでこんな素敵な時間が過ごせた」「あなたに出会って人生を変えることができた」などと言ってもらえたらいいなと思っています。

葬式の日に、そうした素敵な言葉をいっぱい浴びせてもらうためには、普段からどう考え、どういう行動をしていけばいいのかを考えることがとても大事です。

葬式の時、最高の通信簿をもらえるように、逆算して今日を生きてください。

この「葬式ベース」の志を持って生きることで、日々せまられる選択に対し、正しい選択をしやすくなることでしょう。

第8章 まとめ

①
出来事に意味を付けているのは、自分自身である。
それならば、自分が喜ぶ感情を付けよう。

②
感情の道具箱から
人生に活力を与える感情を選ぼう。

③
悪魔の言葉を使わず、
天使の言葉を使っていこう。

④
「葬式ベース」の考え方で
人生の通信簿の点数を上げていこう。

おわりに

それぞれの教えは互いにつながっていく

ピンクたん

本書を読み進めるなかで気付いた方もいらっしゃると思います。

ユダヤの教えでは、大切とされる教えがいくつもありますが、それらは個々に独立したものではなく、すべての教えがつながっています。

「アスター学習法」のなかに「ユダヤ式ノートの取り方」の説明がありましたが、先生の板書を書き写す受け身の教育ではなく、自分が思い付いたアイデアを書くという行為は、自分で考える「自律思考」につながります。

学習効果を高めるための方法としては、最大限に記憶に残すために、学んだことを人に教えるという行為が最も効果的とお伝えしましたが、人に教えるというミッションを果たすために、子どもは先生の話を理解しながら、集中して聞き、要点を頭のなかで整理して、相手に分かりやすく伝えるアウトプットの練習をしているのです。

相手の話にしっかり耳を傾け、話を理解し、自分の意見を分かりやすく伝えることができる力が備われば、将来、交渉においても自分のWINと相手のWINを叶えるビジネスができるようになることでしょう。ビジネスシーンだけではなく、話を受けとめ、相手のニーズを理解し、質問を重ねることで、お互いの要求を満たし、お互いに分かり合うことができたら素晴らしいですよね。

「子ども先生」に教わる親は、たくさんの質の良い質問をすることが大切です。質問されることによって答えを求め、脳が動き始めるのです。子どもの好奇心を引き出すためにも、質問することはとても大切ですし、自分で考えることは自律思考にもつながります。そうして、子ども自身が考えたことに対して、親が褒めることで、子どもの自己肯定感のアップにもつながっていきます。

最近は自己肯定感の低さに悩む人が増えています。質問を通して、褒める機会を増やしてみるのも良いかもしれませんね。

質問をする際に気をつけなければならないのは、明確な質問には明確な回答が返ってきますし、回答も速くなります。曖昧な質問には曖昧な回答が返ってきますし、回答に迷いが生じるため、時間もかかります。このことは、質問が明確であることによって結果を導き出す速度が早まることも教えてくれています。もし、相手の回答が遅いと感じたなら、相手を責めず、質問を変えてみても良いかもしれません。

さて、本書で触れた「子ども先生」は、たまに気が向いた時にやるのではなく、毎日続けることが大切です。

毎日の習慣にするためには、他人の目を借りるための、自分を見ていてくれるアカウンタビリティ・パートナーの存在が欠かせません。パートナーの存在によって、強制力が働き、一人では続けられないことも、習慣にしていくことが可能になるからです。親は「子ども先生」の良きパートナーでありたいですね。

そして、自律思考、質問力、交渉術を兼ね備えた人は、組織のなかでも、代わりの利かない絶対的な存在になることができます。

世の中にアンテナを貼りめぐらせ、今あるものを掛け合わせ、世の中のニーズを叶える新しいものを創造することで、世界を動かすものを作り出す、唯一無二のアウトスタンディングな存在になることも可能でしょう。

豊かな感情を持ち、どんな状況下でも感謝し、生き抜く力を付けていくためには、さまざまな経験を通して、人生の振り幅を大きくすることが必要です。自分の想像を超える経験の数々が、選択肢を増やし、視野を広げてくれます。

さまざまな経験をするなかでは、さまざまな困難にも遭遇することでしょう。問題を解決していくことで、問題解決の方法が、その都度増えていきます。

それは、目の前に新たな問題が起きた時にも、それまでの経験を駆使して、たくさんの選択肢のなかから、最善で柔軟な対応が取れることを意味します。一度の大きな失敗で立ち上がることができなくならないよう、小さな失敗の経験の数々も大切なのです。

さまざまな経験をすることで、人生の選択肢が広がります。たくさんの選択肢のなかから、本当に自分がやりたいことを見つけ、自分の人生を自分自身で選ぶことができるようになるのです。

今、夢を持てない人が増えていると言われています。少ない情報と経験からは少ない選択肢しか生まれません。もしかすると単にその少ない選択肢のなかからでは、自分の夢を見つけるのがむずかしいだけのことなのかもしれません。

けれども、親の決めた選択に従うことを繰り返すうちに自律思考はできなくなり、経験の幅も狭くなり、いざ親がいなくなってしまったら、自分で選択することもできない大人になってしまうのかもしれません。指示に従うことで、自分の選択肢も狭くしてしまっていたことに、その時になって気付くのでは遅すぎるかもしれません。

親はみな、わが子には、積極的に生きてほしい、自分の人生を見つけてほしいと思っていることかと思います。だからこそ、子どものためを思ったことが逆効果にならないように気をつけなければなりません。親ができる子どもへの最高のプレゼントは、できるだけたくさんの経験をさせ選択肢を広げ、子どもがたくさんの夢を持てるようにさせてあげることかもしれませんね。

子ども自身が、自分の人生を勝ち取るためには、常にアグレッシブに、積極的に勝ち取りに行く必要があります。

ユダヤの教えのなかに、「世の中の美味しい木の実は、一部の積極的な人間が全部持っていく。待っているだけの人間はその残った木の実を取るだけ」という言葉があります。すべての教えを身に付け、さらに積極的であることがとても大切なのです。

そして、忘れてはならないのが、「現状感謝」です。ユダヤの教えには、今あるものに感謝する「現状感謝」の考え方が根底に流れています。本編で「自立と依存」に触れましたが、この自立（良いことはすべて相手のおかげ、悪いことはすべて自分の責任）の考え方は、「現状感謝」ができている状態がベースで、そこから一歩進んだ教えでもあります。

自己肯定感と現状感謝には、実は密接な関係があります。自己肯定感が低い状態にある人は、他人と比べて自分の足りないものにフォーカスし、自分には価値がないと思ってしまいがちです。足りないものにフォーカスするので、「自分にはこれもない」「あれもない」と、自分自身に対して不満のある状態です。

逆に十分に現状に感謝できている人は、「周りの人に感謝」「今自分がここにいることに感謝」「すべてのものに感謝」している状態なのです。

すべては捉え方次第です。出来事に意味はありません。あなたが意味を付けるまでは。そしてあなたが選択した感情をもとに、外の世界が創られていくのです。

現状感謝ができると、すでに手にしている幸せに気付き、愛で満たされるので、他人と比べる必要もなくなります。

失敗は挑戦した人だけが手にできるギフト

マサ

みなさんは、何か新しいことをやる時、失敗するのではないかと心配で、恐怖を感じてなかなかできないことはありませんか?

失敗するのは悪いことではありません。失敗はチャンスなのです。「失敗は成功への第一歩」と考えると、失敗も怖くなくなるかもしれません。

私は、フランスに住んでいたことがあります。フランスでは、「私はこれができます」と、自分からアピールしなければ、誰も何も言ってくれませんし、聞いてもくれません。友人からこのように言われました。

そこで私は意を決して、日仏文化センターに履歴書を書いて持っていきました。文化センターの館長から、「来週から早速、お茶のデモンストレーションをやってください」と言われました。それをきっかけに、ルイ・ヴィトンやルノーの会社でもお茶のデモンストレーションをやりました。ブローニュ市やリール市でも日本フェスティバルをやることになりました。小さな失敗を重ねながら、仲間もできて、どんどん輪が広がり、大きな仕事をいただけるようになりました。

一方、友人のAさんは、「協会を作って茶道を教えます」と言いながら、なかなか実行しません。「いつやるのかしら」と思っていると、「先生、やっぱりあれはやめて、こういうふうに変更します」と言います。それならそれで良いのではないかと思い、またいつ実行するのかしらと思っていましたら、「先生、やっぱりこんな風にやろうかと思います」と言います。そんなふうに、いろいろとあれやこれやと考えて、とうとう10年間、何も実行しないまま時だけが過ぎていきました。

Aさんは、いろいろとアイデアは出しますが、まったく実行しません。一方の私は、しっかりした構想を立てていたわけではないのですが、まずは動いてみて、うまくいかなかったら、どうするか考えてまた行動しています。そのほうが少しずつでも進歩しています。考えるだけで行動できないAさんよりも、失敗を恐れずに動いている私のほうが結果的には良かったのではないでしょうか？

これからも、何でも失敗を恐れずに挑戦をしていこうと思います。何もしなければ、そこから何も生まれませんが、たとえ結果が失敗だったとしても、経験できたことで次のステップに進むことができるのだと実感しました。失敗とは、経験を積むことです。経験からは、成功への道を開くコツをつかむことができるのです。

あなたも失敗を恐れずに挑戦してください。挑戦し続ける人が成功を手にできるのです。成功するまでやり続ければ、失敗は失敗ではなくなるのです。

あなたの未来は、周りに期待された通りになる

ジョージ

あなたは、どのような人間になりたいですか？

この項目では、あなたのなりたい未来を手に入れる方法をお伝えできればと思っています。

なりたい自分になるために、目標を立てて、行動を起こす。その繰り返しで、少しずつ、なりたい自分に近づいていけます。一歩一歩、進んでいるあなたは、素晴らしいと思います。

ここで質問です。

「あなたは、なりたい自分の姿を周りの方に、伝えていますか？」

伝えているという方もいれば、「なりたい自分のことを伝えても、笑われるだけだ」「そんなの恥ずかしくて、できない」という方もいらっしゃるのではないでしょうか。

では、あなたがなりたい自分になるためには、あなた一人でよいのでしょうか？　例

えば、あなたのなりたい自分が、リーダーや経営者、個人事業主だとしたら、あなた一人でなれるのでしょうか?

リーダーは一人ではなれません。その人の周りに人々が集まってくることでリーダーはリーダーになるのです。自分についてきてくれるスタッフや取引先がいなければ、ビジネスは成り立ちません。あなたがなりたい自分、あなたの未来には、必ず他者が関わってくるでしょう。そうであるなら、周りの人の協力を得たほうが、なりたい自分にいち早く到達できるのではないでしょうか。

ユダヤの教えのなかに「強制力」というものがあります。ここでいう強制力とは、他者に対してというより、目標達成のための自分に対する「強制力」です。

僕が実践している方法は、SNSや公の場で、宣言することです。

僕の例を挙げると、2022年10月頃に、FacebookやLINEのタイムラインなどに「令和5(2023)年3月に福祉事業の2号店をオープンします!」と投稿しています。

そして、口頭ではありますが、人が集まる会議の場、コミュニティ、講演会の場などでも宣言し続けています。はい、SNSや公の場で宣言しているので、もう逃げられません(笑)。会う人、会う人から、「2号店やるんでしょう? がんばってね」と期待され、言われ続けると、なぜか、実現したような気持ちになってきます。

すると、助けてくださる方、アドバイスをくださる方が現れたり、テナント情報やスタッフ人材についての情報をいただいたりと、道は自然と開けてきます。あとは行動するだけです。僕はこのような体験からも「未来は、周りに期待された通りになる」ということを実感しています。

最初のうちは、「君には無理だよ」「もっと現実を見ろ」「夢見がちだね」と言われることがあるかもしれません。

今でも僕は、身内から「ジョージはロマンチストで、ありもしない夢ばかり語る」と言われているくらいです(笑)。ですが、言い続けて、なりたい自分に向かって行動し続けると、周りからの視線が変わってきます。

そして、周りにいる人間関係が変わってきます。ある日、周りを見渡すと経営者や個人事業主、リーダー、あなたを助けたいと思う人が集まっています。さらに宣言や行動を続けていると、あなたを揶揄していた身内や友人でさえ、応援してくれるようになります。

周りの人に変化が起き始めた時、僕自身が僕のなりたい姿や未来にかなりのスピードで近づいたことを今でも覚えています。

周りの人に、自分のなりたい姿や未来を伝えるのは、気恥ずかしい感じがすると思います。僕もそうです。ですが、先に述べたように、あなたのなりたい姿や未来は、あなた一人では実現がむずかしいのではないでしょうか。

あなたの未来は、周りの人が期待する通りになります。

できるだけ多くの方に、あなたの秘めた想いを伝えましょう。最初は心ない言葉を受けることがあるかもしれませんが、それは、あなたに対する言葉ではありません。その言葉を発した方自身が実行することがむずかしいので、これからがんばろうとするあなたにその言葉を向けるのです。

あなたのなりたい姿や未来を宣言し続けて、行動し続ければ、必ずあなたの周りには応援してくれる人が集まります。それにより、あなたのなりたい姿や未来が、グッと現実に近づきます。

大丈夫です。あなたは一人ではありません。少なくとも、あなたのなりたい姿や未来を、僕を含めたこの本の著者全員が応援しています。

ユダヤの教えを極めるとすべてが手に入る

ピンクたん

あなたが今抱えている問題は何でしょうか？　あなたにとって、幸せとはどんなことでしょうか？

人間の悩みや抱える問題は多岐にわたりますが、突き詰めていくと、すべての問題は４つのカテゴリーに分類されています。

その４つとは、「お金、人間関係、時間、健康」です。

①お金の問題

例：現在お金がないことへの生活困難、将来のお金への不安、お金を持っていてもなくなることへの恐怖

②人間関係の問題

例：夫婦問題、家庭問題、子どもとの関係、親・兄弟との関係、友人関係、職場での人間関係、学校での問題

③ 時間に関する問題

例：自分の時間がない、仕事が時間内に終わらない、寝る時間が足りない、時間の使い方が下手

④ 健康の問題

例：現在病気にかかっている、病気ではないが気分が落ち込んでいる、何をやるにもやる気や元気が出ない

この４つの分野は、どれかが欠けても幸せを十分に感じることができません。人生では、この４つがバランス良く満たされていることが大切なのです。

本書では、ここまでたくさんのことをお伝えしてきましたが、ユダヤの教えを極めると、どの分野の幸せも手に入れることができるのです。

そして、もう一つとても大切なことをお伝えしましょう。４つの分野がバランス良く満たされていれば幸せを感じることができると先ほど言いましたが、あなたが本当の幸せを感じるためには、次のことが大切です。それは、あなたの人生における幸せの定義を「こうなれば幸せ」という条件付きの幸せに設定しないように注意することです。

例えば、結婚相手を探していて、「結婚相手が見つかれば私は幸せ」と思ったとしましょう。結婚相手が見つかれば幸せですが、幸せという条件を付けたことで、もしも、結婚相手が見つからなかった時、あなたは幸せではなくなってしまいます。「お金があれば幸せ」と条件を付ければ、お金がないことは幸せではなくなってしまいます。「子どもができたら幸せ」と条件を付ければ、子どもができなかったら幸せではなくなってしまうのです。

自分の幸せの定義を条件付きにしたことで、いつの間にか、「こうでないといけない」という自分の固定概念に縛られて、それが叶わなかった時に、あなたは幸せではなくなってしまうということが起こるのです。これでは、幸せになるために望んでいたことが、逆効果になってしまって、元も子もありません。

「条件付きの幸せ」は、こうでないといけない、こうでないと幸せではないということにもつながると言いましたが、条件を付けなくても、幸せを感じることはできます。その方法は、幸せを自ら感じ取ることです。一見すると不幸と思えるようなどんな状況であっても、世の中を見渡せば、幸せを感じて生きている人はたくさんいます。

日本での暮らしに不満を感じている人がいると思えば、発展途上国では屋根のある家に住めるだけでも、「私は幸せだ」と感じる人もいるのです。

「条件付きの幸せ」と、いったい何が違うのでしょうか？

誰かの役に立っていること、感謝されること、家族がいること、今ここに生きていること、自分を生かしてくれる体と環境があること、これらのことに感謝ができれば、あなたはきっと幸せで満たされていくはずです。それは、「条件付きの幸せ」ではなく、自らで感じ取ることのできる幸せなのです。

ここまでユダヤの教えのなかの「現状感謝」についてお伝えしましたが、この「現状感謝」は、あなたが「条件付きの幸せ」を追い求めて苦しむその前に、あなたがすでに手にしている幸せを感じられる方法（教え）でもあるのです。

幸せを感じる感覚を研ぎ澄ましてみてください。すべては、自分の捉え方次第なのです。たとえ、あなたがどんな状況に立たされたとしても、今の状況に感謝の目を向けることで、心豊かに、あなたの望む幸せを感じることができるのです。

私自身も幼い頃は、ひっこみ思案、ひかえめで自分の意見も言えない幼少期を過ごし、大人になっても人生が早く終わればいいのにと思うこともありました。自己肯定感が低く、マイナス思考が強いことから、人生をつらく苦しいものだと捉えてきました。しかし、ユダヤの教えにふれ、私自身の思考が変化し、本書を作成できる運びとなりました。

今からでも決して遅くはありません。どうかこの書を手に取り、読んでくださったあなたの人生が幸せに満たされますよう、心から願っております。

本書の制作にあたり、ユダヤの教えを授けてくださったジュリアス師匠、マーサ先生、著者仲間、そして関わっていただいたすべての方々と読者のみなさまに心より感謝いたします。

R.Julius 教育財団の活動

「ユダヤ成功の11原理」の講師を務めましたジュリアス師匠の直弟子、マーサです。

本書で4名の実践者がご紹介した「ユダヤの教え」は、本当にパワフルな教えです。本著を執筆された4名は、それぞれ日々の生活・人生に教えを活かし、自らの手で人生を構築していく、立派な実践者に成長しました。講師を務めた身として、これほどうれしいことはありません。

また、4名は教えを己の人生に活かすに留まらず、この教えを一人でも多くの人に届けたいという愛と貢献の精神で、1年半以上の歳月をかけ、彼ら自身の手で本著を執筆しました。その実践力に敬服するとともに、ここでもまた「ユダヤの教え」のパワフルさを実

感しております。

本書の刊行をご快諾いただいたジュリアス師匠、ならびにジュリアス師匠が「ユダヤの教え」を私たちに教育することを認めてくださったビバリーヒルズ在住の長老に、心より御礼申し上げます。

2023年夏、まさに本書を刊行に向けて取りまとめている期間中に、私はジュリアス師匠とともにインドのビハール州、ブッダガヤにあるフリースクールへ来訪する機会に恵まれました。そこには、貧困や教育の必要性に対する親の無理解などによって教育を受ける機会に恵まれてこなかった子どもたちの姿がありました。そして、その様子を見た師匠は、R.Julius 教育財団の活動の一つとして、彼らに無償で教育を提供する学校「R.Julius Free School」を立ち上げると決断されました。

「たまたま生まれついた場所一つで、教育の機会はこんなにも違うのか」

学校を訪れた帰り道、師匠がボソッとおっしゃっていたこの言葉のなかに、師匠の想いのすべてが詰まっているように思います。

述べてきたようにユダヤの教えは「いつ、誰がやっても、同じ結果が出る」原理原則であり、どの国、どの地域であっても同じ結果が出る教えです。この素晴らしい教えを授かるインドの子どもたちの未来に大きな祝福を贈りつつ、本書を締めくくりたいと思います。

最後までお読みいただき、誠にありがとうございます。

三宮知子（さんのみや ともこ）

ニックネーム：ピンクたん
1978年、大阪生まれ岐阜育ち。

地元の公立校に進学し、音楽バンドに憧れギター部に入部。大学の軽音部でギターボーカルとして作詞作曲を始め、バンド名「スペース☆ライダー」としてライブ活動を開始。

世の中の「悪（ワル）代表」のような人と付き合うようになる。「こういう人たちは世間から悪者で怖い人にされているが、心はとても純粋で、幼少期の環境でそうならざるを得なかったのを理解し、自分が助けたい」と使命感に燃える。たくさんの音楽を聞いたなかで、パンクに目覚め、パンク音楽が魂の叫びだけでなく、政治批判、世の中を変えるメッセージを発信していたことを知る。パンクは不良ではなく、世の中に向けた熱い思いを伝えた音楽であり、人も何事も外見でなく、真髄を見て判断をしたいと強く思うようになる。

フランス発売のオムニバスCDにオリジナル曲が収録され、ワーナーミュージックジャパン発売のオムニバス「スカでひっぱれ昭和歌謡」ではアレンジ曲で参加、JOYSOUNDやDAM等カラオケにも入る。他多数のCDに参加。

音楽雑誌「プレイヤー」はじめ地元雑誌やラジオにも出演。

ライブ時代の音響エンジニアと結婚し、現在は一児の母。

早水丈治（はやみず じょうじ）

ニックネーム：ジョージ
株式会社GiVER代表取締役。子どもたちに教育と経験を残す一般社団法人代表理事。ペアレントトレーニングトレーナー。

1989年、鹿児島県の北海道出身（伊佐市大口）。

福岡のはりきゅう・柔道整復師の専門学校を卒業後、はりきゅう専門学校の教員を目指し明治国際医療大学・大学院へ進学、鍼灸学修士を取得。「臨床現場を経験して、教員になりたい」と鍼灸整骨院に就職。

平成生まれとしては日本初となる、はり師・きゅう師・柔道整復師所有の鍼灸学修士として活躍。ある時、一人では通院することがむずかしい患者さんがいることを知り、その方々を助けたいという想いから「はりきゅうマッサージSAYURI」を立ち上げる。2021年8月に法人化。

また、2022年5月より子どもたちの居場所を作るため、児童発達支援・放課後等デイサービス「多機能型事業所さわやか」を開所。親は子の一番の師であるとの思いで、ペアレントトレーニングトレーナーとなる。

地域交流活動やペアレントトレーニングを普及する活動などで、地元新聞社はじめ、地元テレビ局などに多数出演。

親が子どもに残せるのは教育と経験であり、わが子に最高の教育をプレゼントしたいとの想いで、マーサ先生主催のユダヤの教えを受講、現在に至る。

水野美穂（みずの　みほ）

ニックネーム：ミホリン

名古屋生まれ名古屋育ち。好奇心旺盛Ｂ型、いて座。

小学生の頃にペーパーアートを習い芸術が好きになったことがきっかけで現在､芸術作品の素晴らしさを伝える「感動クリエイティスト」として活躍中。世界にあふれる素敵なもの、美味しいもの、美しい景色と出会う喜びを伝えている。

幼少期からピアノを習い絶対音感がある。大学時代は軽音楽部でキーボードを担当。社交ダンス（ラテン）でアマチュア部門全国大会に出場。現在もダンス、ミュージカル、コンサートなどに数多く足を運び、感性を磨いている。世界30カ国を訪れ、クルーズ船に約20回乗船。国内の美術館は展示内容に合わせてどこへでも足を運ぶ。海外ではオルセー、ウフィツィ、メトロポリタン、ゲッティなど世界の大きな美術館を訪れ、日々感性を磨いている。

また、カクテルアドバイザー、ラムコンシェルジュという資格を活かし、自らカクテルを極める傍ら、カクテルの魅力を伝える伝道師としても活躍。日本・世界チャンピオンバーテンダー、ホテルバーメンズ協会の歴代会長などとの親交も深い。

みなさんに人生をより豊かに送ってもらいたいと願い、日々感動を創出すべくライフワークを邁進中。素晴らしい方々から学んだ多くの学びを、今後はみなさんにもお伝えしていきたい。

和田政子（わだ　まさこ）

ニックネーム：マサ

1955年、東京生まれ東京育ち。

実践女子学園中学･高等学校を経て、実践女子大学英文学科卒業。15歳で茶道部に入部し表千家の茶道を習う。

日本人であるからには1人で着物を着られなければと考え、22歳で装道礼法きもの学院の着装科に通い始め、15年をかけ全日本着物コンサルタント1級を取得。1997年、フランスへ渡り、日仏文化センターにて茶道のデモンストレーションを開催したのをきっかけに、フランスにて茶道教室ならびに着付け教室を開講。ブローニュ市やリール市から依頼を受け、3日間の日本フェスティバルやルマンの教会･お城での茶会を開催。また、ルイ･ヴィトンやルノーの会社では、日本を紹介する研修会を開催。

その後、ルマン郊外のお城の茶会の席で、「能と狂言の違い」を問われたが答えられず､「日本人なのになぜ答えられないのだ？」と問われたことをきっかけに、日本伝統文化国際交流協会を設立。帰国し、日本伝統文化を勉強する会を国内で20回開催。日本伝統文化を海外に広める活動をライフワークとし、これまでに台湾やフランスのギメ美術館、ユネスコパリ本部にて茶会や体験会を開催。今後も日本伝統文化を国内･国内外に発信し続ける。

編集協力　沢辺　有司

装　　幀　クリエイティブ・コンセプト（江森　恵子）

組版・図版　春田　　薫

校　　正　高木　信子

史上最高の教育法

～脳科学と行動心理学に基づく5000年の叡知～

2023年10月20日　第1刷発行

著　　者　三宮知子、早水丈治、水野美穂、和田政子

発 行 人　上村雅代

発 行 所　株式会社英智舎

〒160-0022

東京都新宿区新宿2丁目12番13号2階

電話　03（6303）1641　FAX　03（6303）1643

ホームページ　https://eichisha.co.jp

発 売 元　星雲社（共同出版社・流通責任出版社）

印刷・製本　株式会社シナノパブリッシングプレス

在庫、落丁・乱丁については下記までご連絡ください。

03（6303）1641（英智舎代表）

ISBN　978-4-434-32807-7　C0037　130 × 188